SUMISIÓN Y AMOR

El Faro del Multimillonario 3

KIMBERLY JOHANSON

ÍNDICE

Por Kimberly Johanson

ISBN: 978-1-63970-015-8

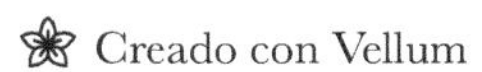

DESCRIPCIÓN

PASIÓN. ROMANCE. VENGANZA.

Con el conocimiento de con qué Meagan amenzó a Elizabeth, Zane va a cambiar su juego con la poderosa jueza.
Con la ayuda de Elizabeth, los dos intentan sacar a la luz a la jueza y a sus prácticas de chantaje.
La jueza tiene más muertos en su closet de los que Zane se había dado cuenta, y encuentra todavía más evidencia para detener a la mujer, deteniéndose en la sorpresa.
¿Podrán detener a Meagan antes de que arruine la reputación de Zane? ¿O serán sus acciones las que toman la vida de Meagan, haciendo a uno o a los dos culpables de un homicidio?

SU VENGANZA

El Faro del Multimillonario 3

Por Kimberly Johanson

CAPÍTULO 1

ZANE

"¡Le rogué y supliqué e igual me rechazó, directo!" le digo a Meagan mientras me mira con su expresión compasiva en el rostro.

"¡Oh Zane! Qué horrible debe haber sido para ti. No deberías haber ido. Pero supongo que ahora debes tener ese cierre que estabas buscando." Ella pasa por su desordenado escritorio y pone su mano en mi hombro, haciendo que me de una alergia que quiero quitar, pero no lo hago. Tengo que hacerla sentir segura de que su plan sigue en marcha.

"Por lo menos ahora sé." Digo lloriqueando "que ella no me ama."

Con un par de palmaditas en mi hombro, dice, "No, me temo que no lo hace. Quizá es tiempo de avanzar."

Mi estómago se tensa al alcanzar su mano y atraerla hacia mi para que se siente en mi regazo. "Quizá lo es" le digo mientras veo sus ojos azules. Ojos que muestran la falta de profundidad que esta mujer tiene.

Pasa su mano por mi cuello y suspira, "Oh, Zane, ¿Lo dices enserio?"

Asiento, pasando mi mano por su nuca y lentamente acercándola. Sus labios se separan al momento en que sus ojos se cierran, y mi celular suena, justo a tiempo. "¡Mierda!" digo "Debo tomar esta llamada. La he estado esperando. Lo siento, Meagan."

Rápidamente, la bajo y me levanto para tomar el celular de mi bolsillo. Con un dedo levantado para decirle que espere, salgo de su oficina, al pasillo del juzgado. "Aquí Zane White"

"¿Está cayendo?" Me pregunta Elizabeth. "Me parece a mi que sí"

"¿Fue difícil de ver?" le pregunto mientras me aproximo al baño de hombres para tener privacidad.

"Mucho." Dice, "Y bastante asqueroso, también."

"Para mi también. ¿Qué está haciendo ahora?" le pregunto a Elizabeth, quien está en el edificio de la calle de enfrente mirando por la ventana a la oficina de Meagan con binoculares.

"Está sentada y abre su laptop. Okay, esto es lo que hemos estado esperando. Está escribiendo su contraseña para desbloquearla. Pero no puedo ver lo que es. Vas a tener que pedirsela, Zane. Y vas a tener que hacerlo lo más rápido posible, ya que no sé cuánto más pueda aguantar que tengas tus manos en esa mujer."

Me río. "Yo tampoco. Okay, ¿Qué mira en su computadora?"

"Pornografía" dice, haciéndome reir. "Sólo bromeo. Tiene un documento. Déjame intentar acercarme un poco más con estos poderosos binoculares que me compraste. Oh, wow. Tiene tu nombre en él, y parece que lo está borrando. Creo que debe haber sido uno de esos documentos que habrá inventado para chantajearme."

"Necesitamos unos cuantos de ellos para usarlos contra ella" le digo y me apresuro a volver a su oficina. "Entraré y la interrumpiré."

"Okay, pero trata de hacer que vaya a algún lugar contigo y tu cierra la puerta, pero sólo pretende trabarla. Luego iré y podrás pasarme algunas posibles contraseñas."

"La llevaré a almorzar" le digo al llegar a su oficina. "Te mandaré un texto cuando consiga algo de ella."

"No la beses, te amo, adiós." Dice y corta la llamada.

Pongo mi celular en mi bolsillo, abro la puerta a la oficina de Meagan. Ella cierra su laptop y se levanta "¿Llamada importante?"

"Lo es. ¿Qué tal un almuerzo?" pregunto acercándome a ella y tomando su mano, para pasarla por mi brazo.

"Un almuerzo suena genial." Dice y sus labios tocan mi mejillas. Debo luchar para no tener que quitármela de encima. "Gracias. Quizás después del almuerzo podemos comenzar desde donde lo dejamos antes de la llamada."

Riendo, la saco de la oficina y pretendo cerrar la puerta. Ahora, veremos si Elizabeth puede acceder a alguno de esos documentos.

CAPÍTULO 2

ELIZABETH

El juzgado está casi vacío, al ser la tarde. Me dirijo a la oficina de Meagan. No cruzo a un alma por el pasillo, y luego encuentro su nombre en una de las muchas puertas. Me pongo los guantes para asegurarme de no dejar rastros de mi aquí, giro el picaporte, lo encuentro destrabado y entro, cerrando la puerta a mis espaldas.

¡Ahora a buscar entre toda su mierda y encontrar alguna evidencia que la incrimine!

En el primer cajón, encuentro la primer cosa extraña. Una fotografía de Zane en alguna ceremonia. Él no está enterado de la foto, ya que está hablando con otro hombre.

Quiero llevarme esa fotografía, pero ella lo notaría, así que la dejo donde está. Luego, abro un poco más el cajón, para vere más fotografías, esta vez, de mi y de Zane en distintos lugares. Eso significa que nos ha estado siguiendo como una loca acosadora.

¡Pero nosotros sabíamos que estaba un poco loca!

No hay nada aqui que pueda usar, así que cierro el primer cajón y abro el que queda abajo, y encuentro que está lleno de documentos. Así que los miro y encuentro uno que está bajo la etiqueta "seguridad".

El nombre es extraño, ya que los otros documentos tenían nombres de personas en ellos, entonces lo saco y lo abro. La primera cosa que veo es una foto de Zane entregando una enorme cantidad de dinero a un hombre bastante sombrío.

La siguiente foto tiene al mismo hombre entregando a Zane una bolsa marrón de papel. Supongo que son drogas y no tengo idea si la foto es real o fue modificada por computadora. Pero parece real.

Detrás de ella hay una especie de contrato. Es con una compañía llamada Global Access y la dirección está en Afghanistan. Mientras miro a través de la página veo palabras como, armas, armas de destrucción masiva y veo que ella está inventando mierda sobre Zane estando involucrado en la guerra. Su firma está al final de la última página.

Parece ser su firma. Toda esta cosa parece legítima. Apoyo las fotos y el contrato en el suelo, tomo fotografías de todos y luego las vuelvo a guardar del mismo modo en el que las encontré.

Si va tan lejos como para involucrarlo en cosas que pudieran meterlo en prisión o peor, entonces ella es más inestable de lo que pensé que era.

¿Cómo carajo vamos a detenerla?

CAPÍTULO 3

ZANE

"ENTONCES, ¿CÓMO ESTÁ ESE BIFE WELLINGTON?" LE PREGUNTO a Meagan mientras le da su segunda probada al almuerzo.

"Demasiado cocido, pero lo comeré" dice y el camarero la mira.

"Madam, puedo traerle algo más" le dice.

La carne es roja, no está demasiado cocida. Sólo le gusta quejarse. Y sólo eso es suficiente para que ella me caiga mal.

"No" dice y lo corre con un gesto con su mano. "Comeré esto"

Él asiente y se va, dejandonos solos y a mi intentando pensar en la manera de iniciar una conversación relacionada con las contraseñas. "Compré esta nueva laptop el otro día y necesitaba crear una contraseña. No sabía qué poner. Sabes como siempre dicen que no uses cosas que las personas puedan adivinar facilmente. Siempre he usado mi cumpleaños y mis iniciales pero me han dicho que eso no es seguro."

"No, no lo es. Yo uso una serie de números y letras que no tienen sentido." Dice, empujando el plato lejos de ella.

Bajo la mesa, tengo mi celular listo y esperando para recibir cualquier información que me de. "¿Cómo qué?"

"La clave es usar nada que tenga que ver contigo. Soy la menor de tres hermanas y solía usar el número tres al comienzo de todas mis contraseñas. Pero cuando mi hermana mayor entró a mi correo hace unos años, fui más lista." Toma el vaso de agua y sus ojos se posan en mi plato.

"El salmón está bueno." Digo "¿Quieres una mordida?"

Asiente y se inclina, sus labios se separan. Pongo el bocado en su boca expectante y ella gime como si hubiera sido lo mejor que ha probado en su vida. Mi estómago se sacude con el sonido.

"Delicioso." Dice "Tendría que haber ordenado eso."

"Hagamos un cambio entonces." Digo, empujando mi plato a ella y tomando el suyo "Ahí tienes Meagan"

"Zane, eres un hombre maravilloso. Gracias" Comienza a devorar mi comida y de repente, no tengo más hambre, pero tomo un bocado de todas maneras.

"Entonces, me decías de tu sistema de contraseñas." Empiezo de nuevo y vuelvo a tomar un bocado.

"Oh, si" toma agua. "Bien, te decía, mi hermana me enseño. Ahora uso números y letras al azar."

"Podrías darme una por ejemplo, Meagan. Soy terrible en inventar cosas que fácilmente pueda memorizar." Tomo un bocado más y preparo mi dedo para escribir la contraseña en mi celular.

"Bueno, un ejemplo es J987K789"

Lo escribo y se lo envío a Elizabeth. "No me digas. ¿Y por qué tu hermana quiso entrar a tu correo?"

"Es una perra, esa. Pensó que estaba hablando con su novio y tomó medidas drásticas para averiguarlo."

"¿Y lo hacías?" pregunto y le sonrio.

"Quizás" dice con una sonrisa.

¡Qué clase de persona es!

Miro a mi celular en mi pierna al encenderse con un texto de Elizabeth "Inténtalo de nuevo"

¡Mierda!

"¿Siempre usas una letra y luego tres números o lo cambias?" pregunto tocando mi vaso de agua.

"La realidad es que siempre uso la misma para todo. Sé que

todos dicen que no lo hagas, pero yo lo hago. Con algo al azar como 33kk77fftt564, ¿Quién podría averiguarlo?"

Me las arreglo para mandar un texto a Elizabeth con eso. "Supongo que tienes razón. Todo al azar. Debería usar el mismo número."

Se rie, limpia su boca al terminar el plato. "¡Entonces vamos a coincidir!"

Y con esas palabras, recibo un texto con símbolos de aprobación. Ya está. Y ahora sé cómo entrar en la computadora de su casa, también. Pero eso significaría ir a su casa, el cual no es un lugar en el cual me apetezca estar.

Unos veinte minutos después, Elizabeth me contesta. "Encuéntrame en el hotel. Tengo millones de noticias para ti"

"¿Lista par irnos?" le pregunto a Meagan, quien parece un poco decepcionada.

"¿Tienes algo más para hacer hoy?" pregunta.

"Sí, un par de reuniones" le digo mientras me levanto y muevo su silla.

"Oh" mira al suelo. "Esperaba que pudieramos ir a algún lado"

"¿Ya terminaste en la oficina?" le pregunto al salir del restaurante.

"Sí. Supongo que ahora me iré a casa." Su rostro se ilumina. "Podrías pasar cuando termines con tus reuniones"

"Me encantaría," digo y busco un taxi para ella. "Pasaré cuando termine"

"¡Okay, no puedo esperar!" dice y besa mi mejilla "Nos vemos pronto"

"Sí, pronto."

Tomo un taxi. "Al Plaza."

Me pregunto qué noticias tiene Elizabeth.

CAPÍTULO 4

ELIZABETH

Un golpe en la puerta del cuarto del hotel donde me registre usando la identificación de mi prima, para asegurarme que nadie sepa que estoy en la ciudad, me tiene saltándo de la cama y apresurándome a abrirla. "¿Zane?"

"Sí" dice y lo dejo entrar.

"¿Cómo estuvo el almuerzo, amante?" le bromeo.

"Difícil de digerir. ¿Qué averiguaste?" me pregunta al tomarme en sus brazos.

"Me enteré que Meagan es más despiadada de lo que me hubiera imaginado." Salgo de sus brazos, tomo mi celular y le muestro las fotos de lo que encontré. Tomé fotos a su pantalla, donde tenía cuatro tratados de armas. En sus archivos tenía una y más fotos de ti haciendo algun tipo de intercambio con un hombre sospechoso.

El rostro de Zane se vuelve un poco pálido con cada cosa que ve. "Esta foto no es real. Nunca he hecho una compra de ese estilo. ¡Dios Mio! Me está preparando una trampa"

"Sí. ¿Cómo lidiamos con esto?" le pregunto y me siento en el borde de la cama.

Sacude su cabeza y se sienta también. "No tengo idea. Supongo que deberíamos conseguir ayuda del gobierno. Pero no sé quién o qué rama. La policía local probablemente arruinaría todo."

"Lo sé." Me duele la cabeza con los pensamientos que siguen pasando por mi mente. Ni siquiera huír ayudaría. Si cualquiera de esa falsa información llegara a filtrarse, entonces no tengo idea qué clase de tormentos se le vendrían encima a Zane.

"Quizá eliminar y destruir toda la información es lo mejor que podemos hacer." Dice

"Sólo inventará más."digo "Tenemos que pensar un poco más sobre qué es lo que vamos a hacer."

"¿Cómo puede ser tan desalmada?" me pregunta, como si yo tuviera la respuesta.

"No lo sé. Pero creo que es la peor cosa que vi que alguien haga a una persona." Mi cabeza me está matando y me tiro hacia atrás para caer en la cama.

Él hace lo mismo. Sus brazos cubren sus ojos mientras gruñe. " "¡Maldita mujer!"

"Lo sé. Quizá deba visitarla." Digo

"¡No, Dios, no!" dice y se levanta. "Te tirará en la cárcel si la tocas."

"Zane, algo se nos tiene que ocurrir. Lo que sea" Ninguna respuesta parece venir de nosotros, y eso es definitivamente malo.

Estirando un brazo, mira hacia donde estoy y sonrie. "Quizá un pequeño descanso de pensar nos ayuda, nena. ¿Qué dices? ¿Tienes de ganas de unas palmadas y cosquillas?"

Me río, asiento. "Contigo, siempre."

CAPÍTULO 5

ZANE

El sudor cubre nuestros cuerpos mientras se mueven uno contra el otro. Sus uñas pasan por mi espalda, dejando una sensación sensual que quema y me tiene como un animal salvaje "¡Sí!"

Hundo mis dientes en la suave piel en la base de su cuello, haciendo que su cuerpo se arquee para chocar con mis salvajes empujones mientras grita, "¡Mierda!"

Tomo su cabello hacia atrás, exponiendo más su delicioso cuello, lo muerdo, haciéndola gemir mientras ella enrieda sus piernas a mi alrededor. Mi pene se inserta en su tan caliente y mojado sexo una y otra vez. Gruñidos acompañan cada empujón que doy y hacen eco en las paredes detrás de la cama.

El sonido de su respiración me hace algo que nunca me había pasado, me hace querer escucharla por mucho tiempo. El sonido de su cuerpo trabajando tan duro para complacerme es una cosa hermosa.

Ella se derrite con cada empujón, sus senos presionándose en mis pectorales, sus pezones duros como rocas y tocan los míos, haciéndolos que se pongan duros también. Paso una mano para apretar su trasero, con entusiasmo de sentir la mezcla perfecta entre firme y suave.

Mi mente está enfocada solamente en hacerla sentir mejor que nunca. Sus piernas comienzan a temblar mientras sus gemidos son cada vez más altos y la beso para suavizar el grito que ella está a punto de dar.

Sus manos se mueven para sostener mi cabeza mientras nuestras lenguas se mueven locamente entre ellas. La manera en que sus paredes se estremecen, se aprietan y se mueven alrededor de mi pene, las tiene dando vueltas en respuesta y ejecto las sedosas hebras con pulsos duros, que hacen que ella gima con cada una.

Nuestros cuerpos bajan el ritmo de movimiento hasta que estoy sin moverme encima de ella. Cuando dejo su boca, veo una lágrima caer por su mejilla. Al limpiarla con mi pulgar, digo "Te amo, Elizabeth. Creo que siempre lo he hecho."

Sus ojos brillan al responder, "Yo también, Zane. También lo siento. Es como si siempre te hubiera conocido y siempre te hubiera amado."

¡Y estamos tan cerca de tener lo que queremos para siempre!

CAPÍTULO 6

ELIZABETH

SUS DEDOS ACARICIAN MI HOMBRO MIENTRAS SE APOYA DETRÁS DE mi. Su otra mano se mueve por mi estómago mientras sus labios tocan mi oreja. "Un día esta barriga tuya tendrá a nuestro hijo Elizabeth."

Me rio un poco sobre el comentario de tener a su hijo. "Nunca pensé dos veces sobre tener hijos. ¿Cuántos te gustarían?"

"Tantos como me quieras dar. Sería la mejor cosa del mundo ver un montón de pequeños tu y yo mezclados, corriendo por ahí. Nos compraré casas por todos lados. Donde tu quieras." Me da pequeños besos por mi cuello, hasta que sus labios terminan en mi hombro.

"¿Tantos como te de, no?" digo y paso mi mano para acariciar su mejilla. "Quizá dos"

"Eso no es ni siquiera suficiente" dice un poco rápido. "Por lo menos tres, aunque más es mejor"

"¿Y dónde querríamos vivir, Zane? ¿En un castillo en Irlanda o Europa?" pregunto, girando en sus brazo para enfrentarlo y pasar mis piernas por sus muslos.

"Supongo que no has visitado muchos castillos. Pasé por algunos y no son ni tan confortables como las mansiones modernas de hoy en día. Además, son muy ventosos y la mayoría están embrujados." Dice y luego hace un pequeño ruido que hace que me ria.

"Eres un tonto. Okay, sin castillos. Perfecto. Mansiones, entonces. ¿Un poco pretencioso, no crees?" Su rostro apuesto me ruega por un beso, así que le doy uno en la mejilla.

"Un poco pretencioso quizá, pero una necesidad cuando tienes una gran familia. ¿No estás de acuerdo?" besa la punta de mi nariz.

"No tendremos una gran familia por un buen rato, sabes" beso la punta de su nariz y cuando vuelvo a mirarlo, está sonriendo.

"Si me sigues besando luego de cada cosa que dices, vamos a terminar haciéndolo de nuevo"

"¿Y qué hay de malo en eso?" pregunto y beso sus labios.

Su brazo pasa alrededor de mi, atrayéndome más hacia él. La manera en la que me hace sentir es de otro mundo. Nunca me sentí muy sexy, pero de alguna manera, él hace que me sienta así.

Muevo mi pierna un poco más, encontrando su pene rogando para volver a entrar y siento el calor subiendo en mis adentros con la idea de hacer el amor de nuevo, tan pronto luego de uno de los mejores climax que he tenido.

Su mano se mueve hacia abajo en mi cuerpo, traquila y despacio. Su boca va suave en la mía, no fuerte como la última vez. Lentamente, suaves besos nos damos hasta que su pene se presiona contra mi, diciéndome que está más que listo.

Ambas manos se mueven a mi cintura y él me toma mientras gira en su espalda. Me levanta, suavemente me apoya, introduciendo su duro miembro en mi, momento donde suelto un gemido.

Me siento y ubico mis manos en sus muslos y abdominales. "Lo que me haces, Zane."

Sus manos se mueven hacia arriba hasta que las tiene en mis tetas. "Lo que me haces, nena"

Comienzo a moverme como una ola sobre su duro pene, y el masajea mis tetas. Sus ojos brillan mientras me mira y le sonrio. "Eres como un sueño hecho realidad. Un sueño que todavía no tuve. Y estoy contenta de que sepas todo y hayas puesto un alto para que no estemos más separados."

"Bueno, en realidad no he puesto un alto en nada, todavía."

Gimo fuerte mientras su pene se sacude dentro de mi, y me acuesto en el, sujetando sus biceps. "Sí, Zane"

Lo hace una vez más. "¿Te gusta eso?"

El gemido le dice que sí y lo hace de nuevo. "Tenemos que vere qué hacemos con ella. No quiero perderte en prisión o peor."

"Quizá debo contratar un sicario"

Mis ojos, que se habían cerrado con las sensaciones que me esta dando, se abren. "Y estarías cometiendo un crimen. Vamos a tener que cuidar nuestras espaldas para siempre. Así que ni se te ocurra."

"Aww, no quieres que vaya a prisión" dice y luego va más fuerte. "¿Quieres montar el pony?"

Los sonidos que hace me tienen saltando de arriba abajo. Paso mis brazos alrededor de mis tetas para evitar que salten tanto. Él toma mis manos y las quita. "¡Zane!"

"Oh, oh. Me gusta verlas saltar." Dice y se relame los labios, mientras continúa con fuerza hacia arriba y abajo.

"Eres todo un tipo," resoplo.

"Soy todo eso. Todo un tipo. Ahora dime arre."

"Arre" le digo mientras me rio, y sé que él tiene que ser el hombre para mi, porque nadie me ha hecho sentir así de cómoda arriba de él mientras miraban mis tetas moverse por todos lados.

¡Él tiene que ser el único!

CAPÍTULO 7

ZANE

"Te preparé otro trago, Meagan"

"¡No! Me temo que este ya me bastó. Creo que debería haber comido primero" dice y se recuesta en el sofá. Sus ojos se cierran y su mandíbula se pone cada vez más floja con la hidrocodona que puse en el whiskey que le preparé. La combinación ha probado funcionar, ya que comenzó a roncar.

Echando una manta sobre ella, llamo a Elizabeth "Ella está fuera. Ven."

"Ya voy" Ella ha estado esperando cerca del edificio donde está el apartamento de Meagan.

Voy a buscar la computadora de Meagan y reviso sus cosas justo cuando Elizabeth cruza la puerta. "Ven aquí, apuesto que ella tiene una oficina en alguno de los dos cuartos que hay."

Girando el picaporte de la primera puerta, encontramos su dormitorio. Un lindo y normal dormitorio en tonos de gris, muy ordenado. "No hay computadoras aquí" Elizabeth dice. "El próximo cuarto debe ser la oficina."

Vamos a la segunda puerta y vemos que está cerrada.

"Necesitamos encontrar la llave. Probablemente esté en su bolso." Digo y apunto a la mesa cerca de la puerta donde está una cartera dorada. "Ve y mira"

Elizabeth asiente y va a ver en el bolso. Su rostro se paraliza cuando lo abre."¡Ay mierda!"

"¿Qué encontraste?"

Su mano se mueve lentamente dentro del bolso y vuelve con una jeringa llena de un líquido claro. "¿Por qué carajos necesitaría esto?" pregunta Elizabeth. "No es insulina. La he visto antes"

Apoya la jeringa en la mesa, busca y saca una pequeña pistola que ubica también en la mesa. Camino para ver qué otra cosa tiene esta loca consigo, encuentro a Elizabeth sacando una botella con píldoras de prescripción.

Mis ojos se sienten como si hubieran crecido dos veces más grandes que lo normal mientras leo la etiqueta. "¡OxyContin! ¡Wow! Y el nombre en la botella es Phillip Green"

"¿Así que tiene un hábito secreto con las drogas?" Elizabeth me pregunta sonriendo. "Estas son excelentes noticias para nosotros, Zane. Esto puede ver la luz y sus chances de ser tomada enserio serán nulas."

"Tiene una gran cabeza que funciona con drogas, eso seguro" miro las llaves que sobresalen del bolso y sigo a Elizabeth a ver si alguna de ellas abre la puerta.

Ella encuentra una que puede funcionar y la abre al primer intento. Se dibuja una sonrisa en su rosto mientras dice "Aquí vamos, Zane." La abre y encontramos un cuarto oscuro.

Enciendo la luz al lado de la puerta y un pequeño escritorio se encuentra en el medio del cuarto. Y ahí está mi foto cerca del borde. Al acercarnos, vemos papeles desparramados por todo el escritorio y Elizabeth toma uno. Garabateado encima está "Meagan Saunders-White, la primera mujer presidente" Está escrito como quince veces con una letra temblorosa.

Moviendo algunos papeles, encontramos recibos pasados de fechas y un par de cartas de cobradores. "Parece que su dinero está siendo utilizado para otros propósitos" digo y abro el primer cajón del escritorio. Encima de él hay otro montón de papeles con una tarjeta que tiene un número de teléfono.

Elizabeth arquea una ceja "¿Deberíamos usar su teléfono para llamar?"

"Lo iré a buscar." Vuelvo a la sala de estar, veo que Meagan no ha movido un músculo y está roncando. Tomo su teléfono y vuelvo a su oficina, donde Elizabeth está entrando en su computadora.

"Sí, como dijiste. La misma contraseña. Y aquí están los mismos archivos que en la computadora de su oficina. Te los voy a mandar a tu correo."

Marco el número de la tarjeta, y contesta una máquina. "Su orden llegará mañana a las diez de la mañana. Adiós."

"Parece que le he conseguido alguna especie de envío." Digo al terminar la llamada.

"Usa este teléfono para llamar al número" Elizabeth me dice al sacar su celular del bolsillo de sus jeans. "Es uno de esos que pagas al usarlo que compré bajo un nombre falso así Meagan no puede rastrear nuestras llamadas. Puedo conseguir otro."

Lo tomo, llamo al número y esta vez hablo con una persona real. "¿Quién le dio este número?" contesta la mujer del otro lado.

"Wow" digo. "Lo siento, creo que tengo el número equivocado. Busco a Phillip Green"

"¿Quién le dio este número?" insiste la mujer.

"Um. Lo encontré. ¿Conoce a Phillip Green?" pregunto mientras Elizabeth deja la computadora y me mira preocupada con sus hermosos ojos verdes.

"¿Lo encontró?"pregunta. "No le creo. Dígame ahora. ¿Quién le dio este número?"

"¿Puedo saber su nombre?" pregunto.

"¡Mierda que no! Ahora deme el nombre de quién le dio este número o tendré a mis hombres ocupándose de ti. ¡Dígame ahora!" grita como una maldita Nazi.

"Meagan Saunders" digo sin pensar.

"Oh, okay. ¿Por qué no quería decirme eso? Ahora podemos hacer negocios. ¿Qué puedo hacer por ti? ¿Y cuál es tu nombre?" pregunta mientras mi mente se nubla y miro a Elizabeth buscando una respuesta.

Elizabeth se encoge de hombros y susurra, "Inventa algo"

"Dungareepore, Dax Dungareepore" digo y el rostro de

Elizabeth rompe en una sonrisa al cubrirse la boca para tapar la carcajada al sacudir la cabeza.

Con mis labios le digo "¡Cállate!"

Usar el nombre falso que mi secretaria inventó para mi el día que conocí a Elizabeth fue lo único que se me ocurrió. No estoy acostumbrado a inventarme nombres.

"Dax" dice la mujer. "¿Cuál es tu veneno?"

"Um. No lo sé. ¿Tienes algo en especial?" pregunto y miro a Elizabeth por respuestas, una vez más. Ella sólo se encoge de hombros y veo que no me va a ser de utilidad.

"¿En especial?" pregunta. "¿Es esta la primera vez ordenando algo de esta naturaleza?"

"Lo es" digo "¿Puedes ayudar a este tipo?"

"Interesante" murmura. "Cómo te gustan tus filetes, ¿Cortes gruesos o finos?"

"Gruesos" digo y me pregunto si tiene que ver con las drogas.

"¿Dónde te gustarían que envíen tus filetes?" pregunta.

Ahora siento como si ella fuera a mandar a sus secuaces por mí así que termino la llamada rápido. Vuelve a llamar y tiro el celular en la mesa. Elizabeth lo toma y lo apaga. "Por lo menos sabemos que esto es un número que podemos dar a las autoridades cuando encontremos a los correctos para ver todo esto."

"Sé que esto suena estúpido, pero aunque haya usado un nombre falso y un teléfono del cual podemos deshacernos, estoy nervioso" le digo cuando camino para ver la pantalla de la computadora y encuentro mi nombre en algún contrato de mierda de venta de armas a Iran. "¡Puta de mierda!"

"Dime sobre eso. Sería genial si muriera de una sobredosis de droga, ¿no?" pregunta Elizabeth enviando el documento a mi correo.

"Ahora, creo que necesito decirte que no la mates, amor. No quiero que nos persigan por siempre o que te encuentren". Pongo mis manos en sus hombros y beso su cabeza. "¿Esa es la única cosa?"

"Sí, ¿puedes tomar fotos del papel extraño y de la foto tuya en su escritorio? Creo que necesitamos documentar las cosas de su bolso y conseguir el número de serie de su arma para que se la podamos dar a las autoridades también."

"Supongo que tenemos suficiente evidencia aquí para tener algún cargo aquí para ella" digo al salir a tomar las fotos.

La única cosa que noto al salir es que nadie está en el sofá.

¡Mierda!

CAPÍTULO 8

ELIZABETH

Un rayo de luz acompaña a un pequeño disparo y Zane grita. "¡Mierda, Meagan! ¡Soy yo!"

"¿Zane? ¿Qué haces en mi oficina?" escucho que dice Meagan

Si le disparo a Zane debe estar todavía fuera de sí. No debe estar viendo muy bien, tampoco. Zane se acerca y cierra la puerta, mirándome para decirme que me quede en mi lugar.

Igualmente, no voy a simplemente quedarme sentada. Apago la computadora y miro hacia el closet para esconderme en caso de que ella quiera entrar. Al abrir la puerta, encuentro más de lo que hubiera esperado.

Está lleno de armas. Armas ilegales, estoy segura. Supongo que las obtuvo para ayudar a culpar a Zane. Ha sido rápida para juntar las cosas necesarias para herirlo desde que él y yo estamos juntos.

Pero supongo que estando en el negocio de las drogas, las armas vienen de la mano. Otro suave disparo suena y al oír este sonido, me olvido de mi seguridad y salgo del cuarto para asegurarme que Zane esté bien. Empujo la puerta y veo a Zane parado sobre el cuerpo de Meagan. "¡Mierda, ¿la mataste?!"

"No" dice soteniendo su mano arriba con la aguja en ella. "Le inyecté lo que sea que es esto en su cuello. Ella accidentalmente jaló del gatillo cuando lo hice." Se da vuelta y veo una mancha de rojo en su camisa.

"¡Zane!" grito y corro a sacar su camisa fuera de los pantalones y ver el daño. "Gracias a Dios. Sólo es un rasguño."

Exhala y parece más relajado. "¡Gracias a Dios! Arde como el infierno mismo."

"Okay tenemos que hacer algo con esta mujer. Dame la jeringa y le borraré tus huellas. Vamos a marcar las de ella y ponerla en el sofá." Le digo mientras me apresuro a la cocina, donde creo que encontraré una servilleta o algo para borrarlas.

Cuando vuelvo a la sala de estar, veo que él ya la ubicó en el sofá y la está cubriendo. Me mira con miedo en los ojos. "¿Y si le di una sobre dosis?"

Me encojo de hombros al limpiar sus huellas y tomar la mano de Meagan, dejando la jeringa en su mano para marcar las suyas. "¿A quién le importa realmente? Okay, ahí está." Dejo la cosa en el piso, de la manera que hubiera pasado si ella se lo hubiera hecho a sí misma.

"¿Debería llevarme el arma?" me pregunta y la busca para quitarla del suelo donde ella la tiró.

"No, creo que deberías ponerla de nuevo en su bolso con todo lo demás. Si está acostumbrada a usar drogas, seguramente está acostumbrada a despertar sin acordarse qué carajo pasó."

Él asiente y guarda todo de vuelta en su bolso, y va a cerrar la puerta de la oficina. "¿Qué deberíamos hacer ahora?" me pregunta

"Irnos, creo. Esta mierda no es fácil de decifrar" digo al cruzar la puerta.

"En absoluto. Siento como si hubiera cavado mi propia tumba" me dice al abrir la puerta y salir. Cierra con llave el picaporte y puedo ver que está nervioso.

"Zane, ella misma toma eso, no te sientas mal." Le susurro al dejar el edificio.

"No me siento mal. No cuando sé todo lo malo que tiene preparado para hacerme. Pero me siento como si hubiera cometido un crimen." Susurra de vuelta.

"Te estaba disparando, fue en defensa propia." Digo mientras él hace señas al taxi y nos sentamos en el asiento trasero.

"El Plaza" dice al conductor y pone su dedo en sus labios, para dejarme saber que no diga nada más sobre el incidente.

El viaje es en silencio. Al estacionar en el hotel, el portero abre la puerta y salimos y entramos juntos. Subimos en el elevador a mi cuarto y entramos. Las manos de Zane comienzan a temblar mientras me mira y toma las mías. "¿Qué he hecho?"

Me muevo hacia sus brazos, lo abrazo fuerte y nos mezco hacia delante y hacia atrás. "Todo va a estar bien. Tengo una idea para conseguir todas sus acciones grabadas."

"Si no se muere por la cantidad de droga en su sistema. No tengo idea de qué había en esa aguja. Si la encuentran así, la llevarán al hospital y la policía llamará a su portero preguntándole con quién fue vista por última vez y dirá que fue conmigo."

Lo detengo, presionando mis dedos en sus labios. "Zane, tu no tienes idea si eso pasará. Ella ya está acostumbrada, amor. Su cuerpo está acostumbrado a ser expuesto a toda clase de drogas. Estoy segura de que se despertará con un sentimiento de resaca y pensará que se lo hizo a ella misma. Si te llama y te pregunta qué paso, dile que se durmió y tu te fuiste."

Él asiente y me abraza fuerte. "No he hecho nunca nada como esto. Y no quiero volver a hacer nada parecido de nuevo."

"Y una vez que ya nos hayamos ocupado de ella, no tendrás que hacerlo. Es sólo cuestión de tiempo, ahora." Le digo y parece que no hace ningún efecto. Sigue temblando mientras me deja y se aleja de mi.

"No debería haberla drogado. No debería haber hecho las cosas de esta manera. Me va a arruinar. Sé que sí." Se tira en la cama, con la cabeza abajo, repitiendo. "Si he arruinado las cosas para nosotros, nunca me lo perdonaré."

"No digas eso." Trato de calmarlo mientras me siento con él en la cama y acaricio su espalda. "Y si ella muere, no serás arrestado. Todo lo que tienes que decir es que la viste tomar un píldora de hidrocona con el vaso de whiskey y un poco después se clavó una aguja en su cuello, lo que te alteró y te fuiste al momento en que se durmió en el sofá."

Rueda por la cama a un lado y me mira con el ceño fruncido." Y cuando me preguntan por qué no llamé a los paramédicos o a la policía, ¿qué digo?"

"Dices que te confesó su drogadicción, así que pensaste que estaba haciendo lo que siempre hacía, y no tenías miedo de que se pasara de droga. Y una vez que te enteraste, no la ibas a volver a ver jamás." Paso mi mano por su arrugada frente y la beso. "Va a funcionar. Estoy segura de que la policía escucha cosas como esas con drogadictos todo el tiempo"

"Puedes estar en lo cierto, pero sigo nervioso" pasa su mano por mi hombro y me tira hacia abajo para recostarme en frente de él. "Sólo abracémonos un rato. Necesito calmarme."

¡Sí que lo necesita!

CAPÍTULO 9

ZANE

Mi celular sonando me despierta, ya que nos habremos quedado dormidos con toda nuestra ropa puesta sobre la manta de la cama del cuarto de Elizabeth en el hotel. Me giro para tomar el celular de mi bolsillo y veo que es Meagan.

"Gracias a Dios" digo y me siento para contestar. Elizabeth suelta un bufido y gira, todavía durmiendo. "¿Meagan?"

"Ey, ¿Qué carajos pasó?" me pregunta con dificultad para hablar. "Me siento como mierda"

"Tomaste algo, Meagan. No tenía idea que tomabas drogas." Digo sintiéndome relajado de que ella está viva y vuelvo a sentir puro odio por ella y por lo que está planeando hacerme si se entera de Elizabeth y yo.

"¿Drogas?" pregunta como si no tuviera idea de lo que digo.

"Guárdate el acto, Meagan. Tomaste una píldora cuando te di el vaso de whiskey y luego tomaste algo de tu bolso, incluyendo una maldita arma y cuando discutí contigo sobre usar esa cosa que estaba en la jeringa, me disparaste dos veces. Una de las balas rozó mi costado."

"¡No me digas!" grita.

"Sí, Meagan. Después de que te inyectaste lo que sea que había en la jeringa, te dormiste y fui a tu oficina a inestigar cómo conseguías esas drogas. Encontré un número en tu escritorio."

"¿Estuviste en mi oficina?" me interrumpe. "¿Qué viste?"

"La mierda que hay ahí. Igualmente, llamé al número de tu teléfono y te llegará un envío de la mierda que quieres a las diez esta mañana. No tenía idea que estabas en estas porquerías. Tú y yo terminamos." Le digo y veo a Elizabeth sentada y desperezándose.

"Zane, no entiendes. Esas drogas son prescriptas" discute. "Las necesito para mis migrañas."

"¿Ah si?" pregunto "Entonces, ¿Por qué hay un nombre en tu botella de medicina prescripta que no es el tuyo, Meagan?"

Su voz tiembla al contestarme. "Bueno, se me acabó la mía y tuve que obtenerla de un amigo, eso es todo. No me vas a dejar porque tengo un problema médico, ¿No, Zane?"

"Parece que tienes respuestas para todo, Meagan Saunders-White. ¿Qué mierda haces con una foto mía y escribiendo tu nombre así?"

"Zane, sabes que he estado atrás de ti por un tiempo. No hagas que suene raro." Dice riendo, "No es secreto que te quiero a ti"

"Pero tienes secretos, Meagan. Demasiados." Digo y espero a ver si decide amenazarme con la extorsión también.

"Zane no me hagas esto" ruega.

"No puedo lidiar con drogadictos, Meagan."

"Me detendré. Por ti, me detendré. Aunque mi cabeza duela, me detendré por ti."

¿Ahora qué mierda digo?

Elizabeth se acerca y susurra, "Dile que te de un tiempo para pensarlo."

"Dame tiempo, Meagan. Lo que vi realmente me sorprendió para mal, sabes. Necesito tiempo y creo que tu necesitas ayuda" le digo.

"Zane, por favor" su súplica viene atragantada mientras comienza a llorar. "Por favor, Zane. Ni siquiera me has dado una real oportunidad. Las cosas sólo empezaban a ir en la dirección correcta."

"Si era lo que tanto querías, ¿por qué tendrías la necesidad de sacar una pastilla e inyectarte?" le pregunto y me siento un poco mal por mentirle y luego recuerdo lo que me hará si no hace las cosas a su manera y la culpa vuela de mi cabeza.

"No sé por qué hice eso. No recuerdo hacerlo. Todo lo que recuerdo es a ti bebiendo un vaso de whiskey y luego nada. Mi mente está completamente en blanco luego de eso."

"Bueno, eso es lo que te hace la droga. Pero desde que eres una ávida usuaria de drogas, ya debes estar acostumbrada, Meagan."

"Lo siento." Llora al teléfono. "Por favor, perdóname. Por favor, dame otra oportunidad"

"Como dije, necesito tiempo para pensar." Espero y escucho que llora y me encuentro cansado de sus malditas payasadas. "Adiós, Meagan."

"Zane, espera" no espero. Corto la llamada y miro a Elizabeth.

"¿Ahora qué?" le pregunto.

"Es mi turno ahora" dice. "Este es el momento perfecto para hacer que venga a mi con la artillería pesada que tiene contra ti y grabar todo para que de convicción."

"Esto se siente peligroso. Tengo miedo de que te hiera físicamente." Digo y la tomo en mis brazos, tirándola hacia atrás para que se recueste conmigo mientras la abrazo fuerte.

"No creo que lo haga. No cuando ella todavía piensa que tiene una oportunidad contigo. Pero tenemos que asegurarnos de tener su cara en la camara al decirme qué es lo que te va a hacere para arruinarte. ¿Dónde deberíamos encontrarla?"

"Déjame pensar por un minuto." Digo y tomo su rostro para besarla. "Sólo estoy tan contento de que no haya muerto de una sobredosis. Estoy a punto de saltar."

Se rie y me besa de nuevo, diciendo "Yo también. Eso hubiera sido un desastre."

Mi celular suena de nuevo, veo que es Meagan y me siento para tomar la llamada para ver qué carajo quiere. "¿Qué?" respondo.

"¿Llamaste al número de otro teléfono y les dijiste que yo te lo di, no, Zane? ¿O Dax?" pregunta.

"Lo hice ¿Qué pasa?" digo con aires de autoridad.

"¿Qué pasa? ¿No te das cuenta de que ese era un traficante,

no?" pregunta y me da gracia que ella llame para confrontarme por haber llamado a su traficante.

"Sí, y adivina qué, Meagan: estás cavando tu propia tumba si piensas que voy a dejar que me hagas sentir mal por llamar a ese número."

"Me has metido en algunos problemas y les he tenido que dar dinero ahora para compensarlo por haber dado este número, que ahora tienen que cambiar y alertar a todos sus clientes. Es un maldito largo proceso y me hacen pagar por su tiempo." Dice con un enojo increible.

"¿Me estás pidiendo que te de dinero?"

"Te estoy diciendo que necesito ese dinero o le daré tu nombre real y dirección e irán a pedirtelo a ti. No querrás eso, Zane. Puedo prometértelo" me amenaza.

"Wow, eres totalmente complicada, Meagan. Definitivamente escondiste todo esto para ti misma muy bien. ¿Cuánto es?"

"Treinta mil dólares"

Elizabeth escucha la cantidad y sus ojos se abren. Yo le sonrío y digo, "¿Para cuándo?"

"En una hora," dice "Traémelo a mi y se los daré cuando lleguen aquí"

"Esperas que haga una extracción de esa cantidad de dinero y te lo lleve en efectivo?" pregunto y tengo un mal presentimiento. Me está tendiendo una trampa.

"Lo hago. O te los mando. Tu eliges."

¿Ahora qué mierda debería hacer?

CAPÍTULO 10

ELIZABETH

ZANE ESTÁ LLEVANDOEL DINERO PARA MEAGNA MIENTRAS YO ME escondo en el pasillo de su edificio para tomar fotos de ellos. Quiero estar segura de que tenemos hasta la más mínima pieza de evidencia para atraparla. Él tiene en su teléfono una aplicación para grabar y capturar sus palabras.

Mi corazón late fuerte, ya que estoy tan nerviosa sobre esta espiación. Nunca he sido parte de nada peligroso y profundo. Es una mezcla de excitante y terrorífico.

Él golpea su puerta y comienzo a grabar todo con mi celular. Gracias a Dios por estas pequeñas cosas. Hacen que conseguir evidencia sea más fácil de lo que apuesto que era en viejos tiempos.

Creo que tenían que usar grandes cámaras y enormes grabadoras para conseguir lo que tenemos aquí. ¡Qué dolor habría sido!

La puerta se abre y escucho que dice, "Entra"

"No, no voy a poner un pie adentro. Aquí" dice Zane y le da la bolsa de dinero. "Aquí está el maldito dinero que tienes que pagar a tu traficante, Jueza"

"¡Cállate!" susurra, "¿Estás demente? ¡No dices ese tipo de mierda en voz alta!"

"Bueno, es para eso, ¿no?" pregunta e intenta tratar de conseguir que ella lo diga.

"Vete a la mierda Zane. Si crees que voy a admitir eso, eres un idiota. Ahora ven y espera conmigo a estos hombres. No me gusta lidiar con este tipo de cosas."

"Lástima, Meagan. No me voy a quedar a ayudarte igual. Nos vemos" gira y se aleja.

Sale de la puerta y lo mira, así que tengo un plano de su cuerpo entero y me siento eufórica."Zane White, necesito que vengas aquí. No quiero lidiar con estos tipos sola. Me pueden herir"

"Entonces no deberías tomar drogas, Meagan. Eso es lo que viene en el territorio. Tu, como jueza, deberías saberlo, sin duda alguna." Dice y la saluda.

Ella gira y vuelve adentro, y yo dejo de grabar y me giro para irme. Pero al momento que guardo el teléfono, veo dos hombres corpulentos pasar al lado de Zane mientras él camina por el pasillo.

Zane se da vuelta y me mira después de que ellos lo pasan, y me da una señal de aprobación. Vuelvo a grabar, podríamos tener esta pequeña acción mientras estamos acá.

Uno de ellos toca la puerta y Meagan responde, dejándolos entrar. No es el mejor video, pero es algo. Termino la grabación y voy al lado opuesto por donde fue Zane. Tomo un elevador hacia abajo y nos encontramos en el frente del edificio.

Su sonrisa es enorme y me levanta en sus brazos, besándome y volviéndome a apoyar en el suelo. "¡Creo que tenemos cosas geniales aquí, nena!"

"Yo también. Ahora vamos al hotel y preparemos todo para que ella venga a verme. Tengo un presentimiento de que va a estar bastante nerviosa por los efectos de las drogas y por su encuentro con esos hombres. Ella va a estar de un humor horrible y lista para lanzar cualquier tipo de amenazas cuando le diga que te quiero de vuelta."

Caminando mano a mano, vamos a un café cercano a su apartamento para almorzar. "Hice búsquedas y creo que llevar la evidencia a un detective es lo mejor. Pregunté un poco y encontré que hay un respetado hombre en el departamento. El detective Lang debe ser el mejor hombre para confiarle esta información."

Con un poco de alivio, digo. "Espero. Necesitamos la mejor ayuda con alguien en su posición de jueza"

"Sí, lo sé." Él abre la puerta del café, entramos y nos sentamos cerca de la ventana. La camarera toma nuestra orden de un par de sándwiches y aguas, y cuando ella se va, vemos a los dos hombres que estaban en el apartamento de Meagan, caminar adentro.

Zane me toca la mano y pasa su dedo por sus labios para decirme que no diga nada, ya que los hombres toman la mesa detrás de él. Discretamente, saca su celular del bolsillo de su chaqueta y comienza a grabar su conversación.

Ambos hombres son montañas en estatura, como un par de defensas del fútbol americano o algo así. Uno tiene cabello corto y óscuro y me está de cara a mi dirección. Sus ojos se encuentran con los míos por un momento y luego miro al suelo.

Cuando vuelvo a mirar, sonrie y se vuelve a su amigo para decirle algo. "Linda rubia detrás de ti, Pete"

"Entonces,"dice el otro hombre. "Esta ciudad está llena de ellas"

La camarera viene a tomar su orden y los llama por su nombre. "Ey, Tanner, Pete, ¿lo usual?"

Después el que se llama Tanner le toca el culo y le dice "Sip"

Ella se rie y los deja. La miro irse y vuelvo a mirar y encuentro que me guiña el ojo. Me sonrojo y miro al piso. ¡No creo que todo este contacto visual sea bueno!

Nuestra orden viene y comemos en silencio, con esperanzas de encontrar algo útil en la conversación que podamos usar. Pero ninguno de ellos dicen nada ya que hablan de fútbol y de alguna pelea en la televisión la otra noche.

Encuentro todo muy inútil y miro a Zane al terminar. "Terminé, amor. ¿Listo para irnos?"

El asiente, detiene la grabación y guarda su teléfono. "Iré a pagar la cuenta" dice.

Tenemos que pasar por su mesa para llegar a la caja. Estoy en frente de Zane cuando pasamos a su lado y el tipo llamado Tanner lo alcanza y toma a Zane por el brazo. "¿No te he visto antes?" pregunta a Zane

Zane rie. "No estoy seguro"

"Soy muy buenos con los rostros y creo que te vi en el apartamento hace un rato. ¿Conoces a la jueza Saunders?"

Miro al otro tipo llamado Pete y él se levanta. "Ey, chicos, no tengo idea de lo que está pasando, pero tenemos que llegar a una reunión" digo tomando la mano de Zane.

"Sólo tenemos un par de preguntas para este nombre" Pete dice "Verás, la mujer que acabamos de ver dijo que un hombre había dejado su apartamento momentos antes que llegaramos. ¿Eres ese hombre?"

Zan asiente y lo encuentro increiblemente estúpido. "Soy Zane White. Pero ustedes dos ya saben eso, ¿no? No es secreto que la conozco. Tenemos un par de fotos juntos y hasta estuvimos en la televisión una vez. Soy uno de sus partidarios en su candidatura para gobernadora."

"¿Y eres el hombre que llamó al númro que ella le dio?" Tanner pregunta.

"No tengo idea de lo que hablan. Estuve en el apartamento de Meagan para hacerle un préstamo para algo. Dijo que era para cosas de campaña"

Sonrio a Zane y pienso, "¡Buena jugada, amor!"

CAPÍTULO 11

ZANE

Con la camara lista en el cuarto del hotel, estamos listos para ver si Meagan nos va a dar lo que necesitamos para detenerla de arruinar mi vida. Elizabeth la llamó hace un rato y le dijo que estaba aquí y quería hablar con ella. Meagan no estaba contenta con las noticias pero dijo que vendría.

Estoy en mi penthouse, mirando todo en la computadora. Le doy a Lois el día libre y estuvo complacida de pasar un día de vacación.

Tomo una botella de agua, y casi la derramo al sentir un golpe en la puerta. "¡Mierda!"

Dejo mi oficina, cierro la puerta detrás de mi y voy a abrir. La encuentro a Meagan parada en frente con la mano en la cadera. "¿Has visto a Elizabeth?" pregunta.

"No desde que dejé su casa. Tu sabes eso. ¿Por qué me lo preguntas?"

"Porque sólo quería asegurarme de eso. ¿Has decidido dejar de lado anoche y seguir desde donde estábamos? ¿Sabes que podríamos terminar juntos en la casa blanca, no?

"No sé cómo decirte esto, Meagan. Nunca he tenido ningún tipo de aspiración política.

ué pensarías que sería de ayuda para llegar a donde quieres. No soy el hombre para eso." Le digo y me paro en el umbral para impedir que pase.

"¿No crees que la cabeza de los Estados Unidos sea un lugar donde te gustaría estar algún día? Vamos, quién no tiene ese pequeño sueño de manejar el país."

"Yo" digo y muevo mi cabeza de un lado a otro. "¿Qué dices de terminar esta entrevista? No soy realmente el hombre que puede llevarte a donde quieres estar."

"Tú eres. Tu eres sólo que no estás viendo la foto completa. Está bien. No te necesito. Sólo te necesito a mi lado. Puedo hacer el resto" dice.

"No estoy seguro sobre tu y yo, ahora. Con todo lo que me he enterado. Tienes que entenderme Meagan."

"No te entiendo, Zane. Soy la misma persona que era antes. Generalmente no me paso de droga y me duermo. No tengo idea de por qué eso sucedió. Uso la medicación para controlar migrañas, eso es todo. La medicina nunca me ha hecho eso antes. No soy una drogadicta. Te lo juro" las lágrimas llenan sus ojos.

"Debo considerar que consigues tus medicaciones de traficantes en vez de ser prescriptas por un doctor, legalmente, Meagan."

"Bueno, me he distanciado de los doctores que me las prescribían. Y esa es la verdad. No tenía opción una vez que no pude encontrar un doctor para que me la prescriba." Sus manos vuelan a su rostro y llora más fuerte. "Odio esto. Odio que sepas estas debilidades de mi."

"Lo odio también. Pero lo sé así que ahora dame espacio. Espero que entiendas eso." Le digo y doy un paso atrás para cerrar la puerta. "Te llamaré si decido que esto es algo que puedo manejar."

Asiente y cierro la puerta, me apoyo en ella y suspiro. Esa mujer es un desastre. Un completo desastre. Odio sentirme culpable por las drogas que usé en ella. Ella es un monstruo que me está tendiendo una traición y todavía siento culpa por haber usado drogas en ella.

Inhalo profundamente para ayudar a calmar mi consciencia, camino de vuelta a mirar el video en mi oficina. Me siento en la silla y veo a Elizabeth ir a abrir la puerta del cuarto. Meagan está parada con sus ojos claros.

No se ven como si hubiera estado llorando hace un momento. Probablemente tomo una píldora para componerse y puso unas gotas en sus ojos que quitaron lo rojo.

"¿Qué querías hablar conmigo, Elizabeth?" Meagan pregunta al entrar al cuarto.

Elizabeth cierra la puerta y hace gestos señalando a la pequeña mesa y sillas "Toma asiento"

Meagan lo hace y cruza sus piernas, mirando a Elizabeth de arriba abajo. "Has perdido peso. Bien por ti"

"Sí, bueno ser chantajeada para dejar al hombre que amo tiene a hacer que mi apetito desaparezca. Así que estoy quí para rogarte que pares estoñ. Zane vino a verme y tuve que mantenerme en el trato. Le dije que no lo amaba y él colapsó. Casi me mata herirlo así"

"Pero eso le hubiera quitado todo de él si no lo hubieras hecho" Meagan dice con un tono frío.

Me siento y me encuentro furioso con ella. Es la mujer más egoísta que he conocido.

"Quiero saber qué tomaría para que dejes de ponerle una trampa. Quiero tenerlo en mi vida. Ni él ni yo podemos tolerarlo." Elizabeth dice.

"No puedes tenerlo." Meagan descruza sus piernas y se endereza para ver a Elizabeth a los ojos. "Él está muy cerca de donde lo quiero"

Realmente me rio a carcajadas con ese comentario. ¡Está demente!

"¿Estás segura de eso?" Elizabeth pregunta y se levanta. "Porque él me dijo, tu y él tienen una relación platónica."

"Eso no importa. Él me dijo que estaba listo para avanzar y me quiere a mi ahora." Meagan se levanta también y ve a Elizabeth. Su dedo se pasa en frente del rosto de Elizabeth. "Escúchame, tu perra inútil. Ese hombre está fuera de tu alcance. Está destinado a la grandeza y será maldecido si detienes eso."

"Ya es grande" Elizabeth dice tomando el dedo de Meagan que se pasea por su rostro y la acción me pone tenso, ya que están muy cerca y podrían comenzar a pegarse. "Termina con esta mierda de chantaje, Meagan"

"No terminará. Si haces tan poco como intentar hablarle, enviaré la información a las autoridades. Será detenido y encerrado en pocos minutos con lo que tengo para él." Meagan dice y toma distancia de Elizabeth. "No quiero hacer eso pero lo haré. Su opción soy yo, y sólo yo. No lo tomes personal. Siempre he planeado hacer eso a cualquier mujer que intente acercarse a él."

"¿Lo has hecho?" pregunta Elizabeth. "¿Cuánto tiempo has tenido este pequeño plan, Meagan?"

"Trabajé en él un par de años." Ella responde y ahora sé cómo ha juntado tanta mierda para cagar mi vida.

¡Sabía que esta cantidad de mierda no aparecía en el poco tiempo que conocí a Elizabeth!

SU PERSECUCIÓN

El Faro del Multimillonario 3

Por Kimberly Johanson

CAPÍTULO 12

ELIZABETH

"Él me ama Meagan. Si insistes con perseguir esto, me temo que tendré no más opción que ir a las autoridades. Tú no quieres eso. Sé que no. Tienes esta incipiente carrera política que considerar" le digo tratando de parar esta locura.

"Sin Zane, me tomará mucho más tihacer que esta carrera funcione. Y no tengo miedo de que vayas a las autoridades. Nadie te creerá. Me temo que no tienes más opción que dejar a Zane White en paz si realmente lo amas" Meagan dice y vuelve a tomar asiento. "Sería una pena que ese hombre fuera a prisión, ¿no estás de acuerdo?"

Mis ojos se mueven hacia la cámara escondida detrás del jarrón en la pequeña mesa junto a la puerta. Creo que tenemos todo lo que necesitamos y es tiempo de llamar a ese detective del cual Zane averiguó. Guiño un ojo, y digo "Sería una verdadera lástima que eso pasara. Pero creo que también sería una verdadera lástima dejarlo porque a ti te gusta"

"Pero lo harás. O esas cosas que tengo contra él se encontrarán en las manos de los medios, lo que llevará a una investigación sobre él y ambas lo perderemos para siempre. Tengo todo lo que necesito para hacer que eso pase. Me ha llevado horas y horas inventar esos documentos, falsificar su firma, comprar cosas que plantaría en su casa si viene al caso. He trabajado muy duro para asegurarme de cubrir mis bases."

Y con esa confesión, creo que tenemos todo lo necesario. Camino a la puerta y la abro, haciendo un gesto para que se vaya. "Creo que tengo mucho para pensa, ¿no crees?"

Meagan se levanta para irse y se detiene frente a mi "Haznos un favor a todos y deja esta ciudad sin contactarlo. Sé que estás en el mismo hotel en el que vive, así que deberías irte más pronto que tarde. Si te ve, armaré un escándalo con él otra vez y me las arreglaré para que se tranquilice de la visita que haz hecho para romperle el corazón."

"Como dije, pensaré en todo esto. No estoy feliz con nada de esta situación y estaba esperando que entres en razón sobre las cosas." Digo, dándole una chance más de hacer lo correcto.

"No detendré esto. Lo tengo planeado hace mucho tiempo. Tus súplicas están cayendo en oídos sordos."

Asiento y cierro la puerta cuando se va. Luego, camino a la cámara. "Tiempo de hacer esa llamada, amor"

Mi celular suena y es Zane. "Hola, ¿pudiste grabarlo todo?"

"Lo hice. Creo que le diste muchas oportunidades de detenerse y eso debe jugar a favor de nosotros. Tiempo de dejar que las autoridades se ocupen de ella." Me dice "Bajaré una vez que esté seguro de que ella dejó el edificio. Voy a llamar al conserje, Tristan, para que me avise cuando se haya ido."

"Okay, nos vemos" digo y termino la llamada, luego me sirvo una copa de vino.

Tenía una pequeña esperanza de que ella terminara con esto. Realmente me duele tener que hacer algo así a otro ser humano, aunque ella tenga planes de destruir al hombre que amo. No es tan fácil como cualquiera pensaría entregar a una persona a las autoridades. Llevándose su carrera, su respeto y su libertad.

Un peso muy pesado cae en mis hombros con la responsabilidad de terminarlo todo para ella. Si sólo se diera cuenta de que no es invencible. Creo que esto no tendría que suceder. Ella piensa que su palabra triunfará sobre la mía, pero no tiene idea de la evidencia que tengo contra ella.

Quizá es injusto no decirle sobre eso. No lo sé. Todo lo que sé es que finalmente me siento como la mano todo poderosa y eso se siente tan bien como mal. No soy el tipo de persona que hiere a la gente.

Un golpe en la puerta me tiene alerta y Zane está esperando cuando la abro. Me envuelve en sus brazos al entrar, cerrando la puerta detrás de él. Al mirar en mis ojos, ve mi dilema. "Lo sé. Yo también estoy peleando con la culpa. Supongo que cuando tienes un buen corazón, no es fácil herir a la gente, por más de que ellos no tienen un buen corazón. Pero estamos haciendo lo correcto. El detective está en camino a venir a conversar con nosotros, aquí en tu cuarto"

"¿Puedes imaginar a una persona como esa siendo gobernadora o peor, presidente?" me pregunta intentando animarme, creo. Sus brazos me sostienen fuerte mientras nos balancea.

"¿Así que lo que dices es que somos un par de héroes que están salvando América?" pregunto riendo.

"¡Claro, héroes!" me levanta y me lleva a la cama, acostándome y acariciando mi mejilla. "Trata de que no te afecte. Sé que tu corazón es bueno y esto es duro para una buena persona como tu, y yo en tal caso, para soportar."

"Es un monstruo, ¿no?" pregunto mirando en sus ojos bailarines.

Asiente y me besa. "Lo es"

"Intenté que parara." Digo pasando mi mano por su cabello. "Está tan enfocada."

"Me gustaría haberme tomado más tiempo para darme cuenta de eso en ella. Realmente no tenía idea de que era capaz de una cosa así. Pero luego, nunca le había prestado tanta atención a ella o a cualquier mujer. Hasta que apareciste en mi oficina, cambiando completamente mi persona."

"¿Alguna vez te lamentas porque haya aparecido en tu vida, Zane?"

Su cabeza se sacude lentamente. "Ni por un minuto, nena. Y no te voy a dejar ir. Estás aquí conmigo atrapada."

“Me gusta como suena eso, estar contigo atrapada suena como el Cielo, para ser honesta” digo.

Sus ojos se ponen oscuros y su ceño se frunce. “Siento haber traido esta mierda a tu vida, Elizabeth”

“No te preocupes, no es tu culpa.” Digo y me encantaría que esto hubiera terminado y que estuvieramos meses lejos de esta mierda, dejando todo atrás.

CAPÍTULO 13

ZANE

SENTADO EN LA PEQUEÑA MESA EN EL CUARTO DEL HOTEL DE Elizabeth, con el detective Lang, paso la bolsa de plástico con el teléfono que Meagan rompió. Sus huellas deben estar en él. El bolígrafo y el papel también deben tener las huellas de Meagan y con todo lo que hemos reunido, el piensa que tenemos un sólido caso.

"Realmente debería haber venido a nosotros desde el principio, Señorita Cook" reprende él.

Mira al suelo y juega con el ruedo de su falda. "Ahora sé eso. No sabía qué hacer."

"La mayoría no sabe" dice.

"¿Entonces cuál es el próximo paso?" pregunto, tomando la mano de Elizabeth para detener con su jugueteo nervioso.

"Esperar. No la deje entrar ni por un segundo. Mantenga la distancia. Quizá ir hasta Chesapeake por un tiempo. No necesitamos que estén cerca para hacer nuestro trabajo. Tendré una orden para revisar su apartamento para esta tarde, antes de que tenga tiempo de deshacerse de algo. Gracias a ustedes y su trabajo de detective, fácilmente podremos entrar en su computadora y teléfono. ”

Sonrío y palmeo a Elizabeth en la espalda. “Ves, está funcionando.”

Asiente y mira al detective. “¿Por qué me siento tan terrible, Detective Lang?”

“La gente que no hace estas cosas generalmente tiene un momento duro para accionar contra esos que han estado haciéndolas a la gente. Es una reacción normal a tener una buena moral y buena conciencia. Si no sintiera nada, yo me preocuparía.” Le dice.

“Eso es un alivio” dice y aprieta mi mano. “Soy normal”

El detective se rie y yo beso su mejilla. “¿Por qué pensarías de otro modo?”

Sus mejillas se tornan rosadas. “Sólo siento que debería sentirme más vengativa. Ella está tratando de meterte en prisión, después de todo. Algun tipo de odio debería fluir por mi y todo lo que se mueve por mi es tristeza de que las cosas tomen este camino.”

“Es una mujer muy dulce” dice el detective. “Voy a salir de aquí y empezaré a mover las cosas. Como dije, lo mejor sería si ustedes se fueran de aquí por un tiempo. Ella será retirada y arrestada, pero quizá tiene a alguien que pueda sacarla. Estoy seguro de que se encontrará vengativa.”

“Estoy de acuerdo.” Digo. “Pienso que una pequeña y espontánea vacación es lo mejor. Tienen nuestros números si necesitan preguntarnos cualquier cosa. Tienen todo lo que pudimos juntar, también.” Digo y lo acompaño a la puerta.

Asiente y nos deja solos. Miro a Elizabeth con una sonrisa en el rostro. Se levanta y viene a mi con sus brazos abiertos. “Necesito un abrazo”

La abrazo, siento su cuerpo temblar y sé que le está costando ver que las cosas hayan tenido que ser así. “Eres tan buena, nena. Ahora quiero que pares todo esto y me digas dónde siempre has soñado con ir. Ah, ¿Tienes pasaporte, no?”

“No” dice “Pero siempre he querido ir a Hawaii. Así que no necesitaré uno ahí.”

"Hawaii entonces. Empacaremos un par de trajes de baño y conseguiremos el resto de la ropa allí." Mi teléfono suena y lo saco de mi bolsillo para vere que es Meagan. "No sé si debería responder"

"Creo que deberías pero no la dejes que hable mucho" dice y se suelta de mis brazos.

"Hola."

"Quiero hablar" Meagan dice, como si no aceptara que nada la detenga.

"Te lo dije, necesito pensar" digo

"Tengo evidencia que podría perjudicarte mucho y necesito explicarte las cosas para que entiendas de lo que soy capaz y de lo que voy a hacerte si me cortas."

"Déjame llamarte" digo y termino la llamada. "Esa puta me estaba a punto de chantajear."

"¡No te creo!" Elizabeth se sienta, sacudiendo la cabeza sin creerlo. "Va a ir profundo hasta el final"

"Lo hará y voy a ver qué piensa el detective que debo hacer al respecto." Marco su número.

"Aquí, Lang" responde.

"Detective Lang, es Zane White. Tengo noticias interesantes. Acabo de recibir una llamada de Meagan Saunders al borde de amenazarme y chantajearme. Me preguntaba qué quiere que haga."

"Está buscando ir a prisión, creo" dice "Normalmente, te diría que la encuentres y filmes en video, pero como ya tenemos demasiado en ella, no creo que sea necesario. En más o menos quince minutos, vamos a estar allanando su departamento y oficina. Llámala de nuevo para retenerla de que envíe algo. Será difícil de controlar si eso sucede."

"Okay" digo, termino la llamada y llamo a Meagan.

"Bueno, eso fue de mal gusto" contesta.

"Lo siento. Ahora, ¿qué estabas diciendo? Tuve otra llamada. Una importante o no te hubiera cortado de esa manera"

"Decía que quiero hablar contigo" dice

"Pero dijiste algo sobre evidencia que podría perjudicarme, ¿A qué te referías con eso?"

Elizabeth me mira y susurra "¡Sé bueno, recuerda!"
Asiento y Meagan dice "Cuando nos veamos te contaré sobre ello. No quise que salga así pero no creo tener otra opción. Iré a tu casa."
"No estoy en casa. Y tengo cosas que hacer hoy. Si estás tan interesada en hablar podríamos vernos esta noche en tu casa" Le digo y me encojo de hombros, ya que no tengo idea cómo seguir. Luego se me ocurre averiguar dónde está ella. "O mejor, dime dónde estás ahora."
"Mi oficina" dice.
Sonrio con el conocimiento de que esa puta perra descorazonada va a terminar en las noticias esta noche. "Genial. Iré pronto y puedes contarme lo que tienes para decir. ¿Puedes esperarme ahí?"
"Lo haré. Y espero que me tomes en serio cuando te diga lo que tengo. Te quiero. Quiero que te cases conmigo y estás a punto de darme todo lo que quiero. Vas a ver eso, Zane"
"Suenas bastante segura de ti misma para una mujero con la que nunca crucé una palabra sobre el amor. Pero iré. Sólo espera."
Se rie, terriblemente. Una risa que me da escalofríos y luego dice, "No hay lugar para el amor en un matrimonio, de todas formas. Nos vemos pronto."
Tiro el teléfono en la cama, traigo a Elizabeth a que se siente en mi regazo al caminar cerca de mi, cuando va a buscar la botella de vino detrás de mi. "Tu no necesitas un trago. Me necesitas a mi." Beso sus suaves labios, me siento entusiasmado por que Meagan reciba lo que se merece. "Debería llamar al detective para avisarle dónde está y luego tu y yo empacaremos e iremos a JFK a mi jet para ir a Hawaii. No puedo esperar a verte caminando por todos lados en tu bikini, todo el día."

CAPÍTULO 14

ZANE

"QUIZÁ DEBERÍAS DECIRLEA TUS EMPLEADOS EN LA OFICINA QUE ella podría ser un problema si la liberan" Elizabeth me dice al mirar por la ventana las nubes debajo de nosotros.

Saco mi teléfono, casi tirándolo mientras suena. "No tengo idea quién es" digo y contesto "Zane White aquí"

"Zane, estoy en la cárcel. Necesito tu ayuda" Es Meagan y no puedo creer que me esté llamando. No le habrán dicho quién estaba detrás de esto. O me han dejado afuera, al mismo tiempo.

La pongo en altavoz, así Elizabeth también puede escucharla. "¿La cárcel?"

"Sí, en la cárcel. Esa pequeña puta le ha dicho a la policía un montón de mentiras sobre mi. No es una mujer buena como tu pensabas. Ella dijo que yo la estaba chantajeando. ¿Puedes creerlo?"

Quiero reirme, esta mujer está realmente loca, pero yo no. "No puedo creerlo. Y tampoco puedo ayudarte a salir de la cárcel."

"Estoy seguro que uno de mis colegas jueces pondrá una fianza que no será terriblemente alta. Pero no tengo mucho dinero. Necesito tu ayuda. No quiero que nadie más sepa sobre este asunto vergonzoso. ¿No puedes encontrar un tiempo en esa agenda ocupada para ayudarme?"

"Veré qué puedo hacer," digo así ella cree que la ayudaré y no irá a buscar a nadie más que lo haga. Ella conoce poca gente con suficiente dinero para pagar su fianza. "¿Y qué dijo Elizabeth, que la estabas chantajeando con qué?"

"Oh, no es importante. Pero es su palabra contra la mía. No me preocupo mucho por eso." Dice y puedo ver que el detective le dio muy poca información sobre todo lo que tienen contra ella. "Odio que la policía vaya a revisar todas mis cosas, pero no tengo nada que esconder. ¿Puedo llamarte cuando sepa cuánto es la fianza?"

"Sí" digo y no puedo creer lo estúpida que es esta mujer. "Espero tu llamada."

"Gracias. Adiós."

Miro a Elizabeth y los dos comenzamos a reirnos. "¡Está tan loca!" dice Elizabeth. "¿Cómo en el mundo ela puede pensar que no hallarán nada? Su closet está lleno de armas que seguramente no están registradas."

"Ambas computadoras tienen evidencia en ellas y ella suena tan confianda de que su fianza no será mucho y estará libre pronto. Wow, es un pájaro loco." digo riendo

Pero luego pienso en lo que dijo Elizabeth sobre Meagan haciendo algo para contraatacar. Le contarán pronto y estará furiosa. Elizabeth parece estar pensando lo mismo "Deberías cerrar tu oficina y asegurarte que Lois esté de vacaciones. Creo que Meagan podría ir detrás de cualquiera que pueda, para herirte."

Comienzo a escribir un mensaje a Lane para que cierre la oficina. "Me pregunto por cuánto tiempo debería mantenerla cerrada."

"Quizá alertarlos hasta que nos enteremos de cuánto es la fianza. Podría no salir jamás." Elizabeth y yo estamos de acuerdo.

"Lo haré y los prepararé para cerrar por más o menos un par de semanas. Con sus conexiones en el mundo de las drogas y las armas, no dejaré que nada pase por la mujer. Ella podría llevar una bomba a mi oficina o a mi casa."

"Wow" dice Elizabeth. "Supongo que ella podría ir tan lejos. Deberías decir eso al detective."

Deslizo mi dedo, lo estoy llamando para ver qué otras medidas debo tomar. "Aquí Lang"

"Detective Lang, es Zane White. Quiero dejarle saber que Meagan Saunders me llamó para que la ayude con su fianza. No tiene idea que estoy en el medio de esto."

"No, no le dijimos mucho. Sólo le dijimos que ha sido acusada de extorsión y ha sido arrestada por eso. Cuando intentamos interrogarla usó la quinta enmienda y dijo que su abogado estaría hablándonos en su nombre. No es tonta cuando viene a asuntos legales. Seguro estás al tanto de eso."

"Exacto." Digo "También quería comentarle que estoy preocupado porque contraataque contra mi, una vez que se entere que estoy en el medio de esto. Mis empleados podrían estar en peligro si consigue salir."

"Puedo asegurarle que el juez magistrado que viene por ella, se le ha contado todo y mostrado la evidencia contra ella. Estaré aquí y esperaré para ver quién viene. Me temo que pueda ser uno de sus compinches y si ese es el caso, no podré balancear un poco su opinión."

Mi corazón se hunde con el conocimiento de que la mujer tiene muchas conexiones en el sistema judicial de Nueva York, "¿Qué pasa si levantan cargos, Detective?"

"Siempre hay una chance. Tendremos que esperar y ver qué pasa." Dice. "Oh, veo al juez Cantrell llegar. Lo llamo luego."

Miro a Elizabeth al terminar la llamada, me encuentro sintiéndome un poco atónito. "El Juez Cantrell la va a asesorar. Fueron juntos a la escuela de leyes."

"¿Eso no es bueno, no?" me pregunta con sus ojos abierto.

Sacudo mi cabeza. "No pienso que sea nada bueno."

Elizabeth deja escapar un suspiro y tira su cabeza sobre el apoyacabezas. "Zane, ¿qué mierda vamos a hacer si sale?"

"Creo que hay chances de que salga bajo fianza, de todos modos. Mi pregunta es, ¿Qué hacemos si ella sale libre de cargos.?"

"¿Eso puede pasar?" me pregunta sorprendida. "Tenemos mucha mierda contra ella"

"Ella conoce a todos en el sistema legal"

“Siento que tenemos un tigre por la cola aquí” Elizabeth dice y va al bar. “Necesito algo para bajar la tensión.”

“Prepárame uno para mi. Creo que Meagan Saunders no será algo fácil de arreglar. Y aquí ambos nos estamos sintiendo culpables de mandarla a la cárcel. Podríamos tener que ponerla en la tumba para que termine esta intromisión en nuestras vidas privadas.”

Me entrega una bebida fuerte y la paso por mi garganta. No sé si tengo en mi lo que se tiene para matar a alguien, pero ella me está llevando al límite. Si la ley no puede pararla, entonces yo tendré que hacerlo.

Veo que la cabeza de Elizabeth va en tantas direcciones como la mía. Quita la bebida de sus labios. “Zane, algo se tiene que hacer. Y lo vamos a hacer juntos. No quiero el peso de algo siniestro cayendo en sólo uno de nuestros hombros.”

Asiento pero no tengo intención de que Elizabeth se ensucie las manos con esta mujer trastornada.

CAPÍTULO 15

ELIZABETH

UNA PARADA EN LOS ANGELES NOS TIENE PASANDO LA NOCHE EN el Hotel Sofitel en Beverly Hills. La vista del cuarto nos quita el aliento. "Dios mío, esto es precioso" Me doy vuelta y veo que Zane vuelve al cuarto. Se paró en el baño y no me gusta su expresión.

"Su fianza es muy alta, lo que es bueno. Su abogado llamó para pedirme dinero, si es necesario. No está al tanto de mi rol en su arresto."

"¿Por qué la mirada extraña?"

"Me dijo que ella está segura de salir sin cargos. Él dijo que sus malditos derechos nunca se le han leído." Lame sus pálidos labios. "¿Por qué sus derechos nunca han sido leídos?"

"Sabía que esto era demasiado grande para que la policía lo manejara. ¡Lo sabía!" grito golpeando mi puño en la mesa.

Su teléfono suena y él lo mira. "Lang". Desliza el dedo en la pantalla, contesta con sus dientes apretados. "¿Quién mierda estaba a cargo de leerle a esa puta sus derechos, Lang?"

"Un novato. Lo sé, Zane. Mira, todavía tenemos la chance de conseguir que ella te chantajee. Ella iba a hacerlo, ¿no?"

"¿Qué pasa con la evidencia que tienen ahora? ¿Puede ser usada? Digo, ella inventó esos documentos. ¿Podemos usar lo que hemos encontrado?"

"Podemos. Así que no te preocupes por eso. Quiero que aprietes sus botones. Vuelve con Elizabeth en tu brazo. Meagan no tiene idea que tenemos esa evidencia. Tan pronto como el abogado vino a hablarme sobre la falta de los derechos Miranda, me aseguré que no viera nada de lo que tenía. Mira, todavía podemos usar lo que tenemos. Tenemos armas también. No quiero ir a la corte con sus derechos no leídos con la cantidad de gente con la que ella se codea frecuentemente. Todo lo que necesitamos es ponerla furiosa para que te amenace y conseguir grabarlo, y la tendremos. Le leeré sus derechos yo mismo."

"¡Mierda!" Zane dice "¡Mierda! Siento que la vida de Elizabeth está en peligro. No quiero usarla para enojar a Meagan."

Me acerco y tomo su brazo. "Estaré bien. Debemos hacerlo."

La manera en la que me mira me hace sentir terrible por él. Él está lidiando con conflictos internos y debo ayudarlo a pasar por ello. "Volveremos mañana"

Él termina la llamada y me atrae a sus brazo. "Si algo te pasara, la mataré con mis propias manos. Te lo juro."

"Nada va a pasarme. Ambos vamos a conseguir armas."

"No hay forma de que podamos conseguirlas legalmente. Hay un periodo de espera."

"No en las escopetas, no hay espera" digo y lo veo sonreir.

"¿Puedes vernos caminando por el pasillo del Plaza Hotel llevando escopetas, Elizabeth? Creo que eso generaría un drame rápidamente"

"Usa tu imaginación Zane. No estoy hablando de caminar como en Wyatt Earp y Doc Holiday. Hablo de meterlas adentro discretamente. Y nos podemos asegurar que te reunas con ella en tu penthouse, donde yo me estaré escondiendo. Solamente que ella pensará que estoy en otro lado cuando le hables."

"Parece que estás siniestramente preparada, amor. No sé sobre esto. ¿Y qué pasa si lo hacemos y ella se sale con la suya igual?" me pregunta mientras me mueve hacia atrás, llevándome a la cama.

"Tenemos que intentar. Si lo hace, al menos todos sabrán de lo que ella ha sido acusada y si fue lo suficientemente tonta para intentar herirte de nuevo, la atraparán definitivamente." Encuentro la cama detrás de mis piernas, deteniéndonos.

"Pareces tener razón." Dice. "Y hacer esta mierda no es nada de lo que haya hecho antes. Creo que tu idea es buena."

"Muy buena. Estaremos al mismo nivel que ella en el campo de juego. Tiene armas y amenazas, y nosotros también tenemos armas y amenazas. Nada de esconderse. Vamos a ser malos"

"¿Crees que puedes ser mala, nena?" me pregunta riendo y me empuja en la cama.

Me caigo hacia atrás, riendo también. "Sé que puedo. Ella mejor que se prepare para conocerme. No teiene idea de cuánto te amo"

Él cae encima de mi, haciendo que el aire salga de mis pulmones en un largo suspiro. "O de cuánto te amo. Ahora voy a quitarte esa ropa y hacer estragos con tu cuerpo como jamás lo han hecho en Los Angeles."

"Nunca he estado aquí así que sería la primera vez que hacen estragos con mi cuerpo. Aquí, de todos modos" digo y lo atraigo para un largo beso, mientras mueve su cuerpo como si fueran olas y el mío lo sigue.

Hay una cierta cantidad de libertad cuando uno decide combatir al villano en vez de esconderse de él. Y ella está a punto de estar más enojada que nunca, creo.

No sólo voy a estar justo ahí en el brazo del hombre que ella quiere, sino que ella va a saber que yo la envié a la cárcel. No puedo esperar a ver su rostro cuando ella nos vea juntos. Debo tomar una foto de eso.

Cuando su celular suena, tiene que pelearse conmigo para que lo deje ir, "Necesito ver si es ella"

"Sabes que lo es, carajo" digo y el se aleja de mi y toma su teléfono de la mesa de luz.

Asiente y contesta, "¿Meagan?" actúa como si no tuviera idea de que está libre. ¡Es un gran actor!

"Hola, ya salí. Esa estúpida perra no consiguió lo que quería. Prepárate para verla comer mierda, Zane"

Me mira mientras paso mi dedo por mi garganta, se rie y dice

"Mira, sobre ella. Déjala en paz, okay. Es un favor personal. Sabes cuánto me importa."

"¿Te ha intentado contactar esa pequeña puta desde que supo que estaba en la cárcel?" pregunta y escucho que bebe algo ya que el hielo suena en el fondo.

"Sí. Eso ha pasado, y la estaré viendo para hablar con ella en unos momentos." Él dice.

La furia en su voz es tan grande que me hace temblar con cuánto disfruto hacerla enojar. "¿Ella te contactó?"

"Sí" dice Zane y muerde su labio.

"Maldita sea, me las pagará. Y si tu piensas que me voy a a sentarme tranquilamente a ver cómo ella te aleja de mi, estás tristemente equivocado, Zane."

"No soy tuyo, Meagan. Sería genial si pudieras reconocerlo. Nunca lo he sido. Ella y yo tenemos algo. No sé por qué dijo que tu la chantajeaste pero lo voy a averiguar."

"No si llego a ella primero. Verás, sé dónde está" dice, pensando que es tan putamente inteligente.

Hice el check out del cuarto antes de que nos fueramos. Espero que nadie más esté ahí cuando ella llegue a golpear la puerta, gritando como la lunática que es.

"Meagan, mejor que la dejes tranquila" él advierte, pero la linea se corta.

"Creo que no te está escuchando" digo y me quito el vestido por la cabeza, y él salta sobre mi.

CAPÍTULO 16

ZANE

Hay una especie de libertad en pelear con tu enemigo cabeza a cabeza. My sangre está caliente de pasión al momento de quitar lo que queda en el cuerpo de Elizabeth. Está caliente y brillante con un brillo de sudor. Su excitación no se puede negar.

Sus manos están temblorosas cuando las pasa por mis biceps. Miro su labio inferior entre sus dientes. Hace un sonido como un gruñido, casi inaudible pero que está ahí y me deja ver que se siente tan salvaje como yo.

Con un estirón, la ropa interior es historia. La empujo para que se acueste con una mano, relamo mis labios como promesa de probarla, que ya tiene mi boca en un cosquilleo. Su cabello dorado cae de la cama mientras tomo sus rodillas y las separo.

Me mira con sus ojos verdes brillantes. Mi mirada se mueve de sus ojos, hacia su largo cuello por sus senos, que se mueven por sus respiraciones profundas. Su estómago está tenso y apretado, y mis ojos se centran en el premio.

Su zona está estremecida con anticipación. Me deshago de mi ropa, me acomodo en mis rodillas en la alfombra y la tomo por el culo con mis manos, atrayéndola hacia mi y arriba para que la pueda tomar toda.

Al momento que mis labios tocan su perla, ella se arquea más arriba y gime fuerte "¡Sí!"

No tengo duda de que ella ama mis besos íntimos. Sus manos pasan por mi cabello, sus piernas alrededor de mi y la llevo a otro lugar.

Toco con mi legua, lo que la lleva a un frenesí de maldiciones al estar tan tentada y atormentada. Usando un dedo, pruebo el calo que estoy provocando dentro de ella y me encuentro complacido.

Inserto mi dedo un par de veces y lo muevo, haciendo que ella gima fuerte. Los sonidos que hace me entusiasman a darle más placer. Inserto otro dedo, lamiendo su humedad, haciéndola llegar más húmeda todavía.

Sus paredes comienzan a estremecerse y sus manos tiran de mi cabello al mismo tiempo que hace sonidos de chillidos y siento como su humedad cubre mis dedos. Me apresuro a mover mi vuerpo sobre ella e inserto mi pene impaciente en su tunel estremecido.

El pulso de sus adentros hace que mi pene crezca más y comienzo a empujar y a darle más, y más placer y un poco para mi también. Sus tetas se mueven bajo de mi, dejando mi pecho caliente. Su aliento es tibio en mi cuello, mientras me besa ahí.

Tomo su cabello de seda, lo tiro hacia atrás y tomo su boca. Nuestras lenguas hambrientas giran juntas en un excitado ritmo. El sonido de nuestras húmedas pieles pegándose llena el cuarto del hotel y mis oídos. Respiraciones dificultosas y gemidos acompañan al sonido, haciéndome más caliente ya que me di cuenta de que es el sonido de nosotros.

Nosotros, ella y yo. Vamos a derrotar a esa perra juntos. Tengo un presentimiento de que mientras esté con Elizabeth a mi lado, cualquier cosa puede ser conquistada.

Sus talones patean mi culo mientras empuja su cuerpo con el mío, haciéndome entrar más profundo y presionar mi cuerpo al de ella. Siento su clítoris rozar sobre mi pene y late de a poco.

Ella fricciona su cuerpo contra el mío mientras nuestras bocas se separan y muevo la mía hacia su cuello. Mordisqueo un poco y sigo con besos fuertes que hacen que tiemble. Luego su respiración crece al momento que gime, "¡Oh, Dios!"

Siento que está pasando y voy más y más rápido al momento que se deja disfrutar. Sus uñas cortan la piel en mi espalda al gritar. Si alguien nos escuchara ahora, pensaría que la estoy matando en vez de trayéndole placer.

Sin poder esperar, me dejo ser dentro de ella y experimento el placer. Mi gruñido es profundo y despreocupado. Mi voz es áspera al susurrar. "Eres mía"

"Soy tuya" dice "Para siempre"

Unir fuerzas con ella me tiene sintiendo la pareja como nunca me había sentido con nadie jamás. Se está convirtiendo en mi otra mitad. Se está volviendo cada vez más difícil ver dónde termino y ella comienza.

Nuestros cuerpos trabajan para liberar cada medida de éxtasis que podemos tener. Beso su cuello con suaves besos al momento en que nuestros cuerpos finalmente dejan de latir y pedirse más entre ellos.

"Te amo, Elizabeth"

Ella toma mi rostro y lo sostiene en sus manos al mirarme a los ojos. "Te amo y nadie se pondrá en nuestro camino de nuevo. Nunca"

Asiento. "Nunca"

Sus dulces labios presionan los míos y luego empuja mi rostro una vez más. "La detendremos. Juntos, haremos que pase. Nada de correr o esconderse. Nos levantaremos y pelearemos."

"Estamos peleando." Digo y me giro para que se acueste en mi pecho; paso mi mano por su cabello. "Y un día, pronto, todo esto será historia y podremos comenzar nuestra aventura juntos."

Levantando su cabeza de mi pecho, me mira. "Creo que ya lo hemos hecho, Zane."

"Me refiero a realmente juntos. El anillo, el nombre, toda la enchilada." Digo y beso sus labios.

Un pequeño gemido se me escapa con el sabor. Un poco de ella en ambos sentidos acompañado de un poco de mi. ¡Es sensacional!

"Algunos hombres hacen proposiciones enserio, Zane" dice riendo.

"Creo que obviamente no soy como algunos hombres. Eso ya lo sabes."

Tomo un mechon de su cabello y lo rozo contra mi mejilla. Amo la suavidad de él. "Espero que nuestras niñas tengan tu cabello"

"Y todos nuestros niños tus esculpidos rasgos" me dice y pasa sus dedos por mi mandíbula.

Puedo verlo en sus ojos, el futuro está ahí. Tan cerca. Tan putamente cerca. Cómo me gustaría que fueran un par de meses a futuro y tener toda esta mierda detrás de nosotros.

Me gustaría que estuviéramos en nuestra luna de miel en vez de volver a Nueva York por la mañana a intentar que Meagan me amenace con el chantaje.

Mi mano se mueve hacia debajo de su costado sobre su estómago y me encuentro deseando que ahí estuviera nuestro primer hijo. Siempre he apresurado las cosas con ella. Sé que lo he hecho.

Nunca he sido un hombre que hizo nada como esto. Soy el tipo de hombre que toma su tiempo para todo lo que hace. Soy ese hombre que solía usar el dicho de "Roma no se construyó en un día", todo el tiempo.

Y ahora mírame. Corriendo a toda velocidad al altar con esta mujer, como si mi trasero estuviera en llamas. ¿Qué me ha pasado?

Su respiración se ha convertido en superficial y su cuerpo está quieto. Se ha dormido rápido con toda la energía que hemos usado y estoy justo por ir detrás de ella. Otra cosa que siempre he tenido han sido problemas para dormir.

¡Ella lo ha curado!

Tengo un presentimiento sobre esta mujer, podría curar lo que me pase. Es un milagro. ¡Mi milagro!

CAPÍTULO 17

ELIZABETH

Es hora de almorzar cuando llegamos al Plaza Hotel en Nueva York. El lugar es un desastre de personas y encuentro la diferencia entre cada costa impresionante. Los Angeles es mucho más tranquila que lo que Nueva York podrá ser jamás.

La gente siempre está apurada aquí. Supongo que es porque toma tanto tiempo llegar a cualquier lado, gastando tiempo. El conserje, Tristan, nos ve y llama unos botones que toman el carrito de equipaje y vienen hacia nosotros.

Zane compró dos escopetas y las tenemos colgando en las bolsas de vestidos, así que ni siquiera se ven como armas. El conductor del taxi nos dio una mirada, que a mi me pareció un poco graciosa.

"¿Puede llevar estas cosas a mi penthouse?" Zane pregunta "Vamos a ir a almorzar."

Asintiendo, Tristan toma al botón y se apura a irse. "Es un buen hombre," comento al verlo ir.

"Es bueno en su trabajo" dice Zane y toma mi mano, ubicándola en su brazo.

Al caminar hacia los elevadores que nos llevarán al restaurante donde él quiere almorzar, vemos a Meagan saliendo de uno de ellos. Al principo no nos ve en el mar de gente que hay en el pasillo del hotel.

Le doy un codazo a Zane, "Mira quién está aquí."

"La veo" gruñe. "Así que comenzará ahora, veo"

Sus ojos encuentran los de Zane, primero. Sonríe y saluda hasta que su boca cae al verme colgada de su brazo. Una mueca reemplaza su sonrisa y yo le sonrio y devuelvo el saludo.

Mirando hacia nosotros, decide no empezar nada ahora. Se va y escucho el celular de Zane sonar. "Me está llamando"

"No puede hacer las cosas bien, ¿no?" le pregunto al momento que contesta.

"¿Si?"

No puedo oír lo que ella está diciendo por el constante ruido de la gente. No puede ser bueno ya que Zane tiene el ceño fruncido. Luego termina la llamada sin decir una palabra.

"¿Quieres decirme qué dijo?" le pregunto mientras él nos lleva al elevador.

"Te diré mientras comemos. Estoy famélico."

Mi mente tiene toda clase de ideas de lo que ella pudo haber dicho. Él no estaba entusiasmado. Creo que ella no lo amenazó todavía, pero sé que lo hará.

Después de sentarnos y ordenar una botella de vino para empezar, veo que Zane está finalmente listo para hablar. "De la manera que Meagan hace las cosas, quiso tirarte mierda. Aparentemente has tenido unos tiempos salvajes en la universidad, pequeña pícara."

"¿Yo lo sabía?" pregunto riendo.

El mesero trae el vino tinto, ya que ambos ordenamos bistec y deja que Zane lo pruebe. Asintiendo, él llena nuestras copas y se va.

"No hay nada que podamos usar con lo que dice. Es meramente difamaciones que dice que va a dejar que nuestros círulos se enteren. Va a intentar arruinar tu reputación antes de que puedas crearte una." Me dice.

Me encuentro más y más enojada. "¿Qué podría decir que es tan malo?"

"Que eras una bailarina nudista y usabas drogas, que tuviste varios abortos. Sabes, cosas dulces como esas." Dice y luego toma su vino.

"Ella necesita que le golpeen el trasero, eso necesita." Digo tomando el mio.

"Bueno tu no lo harás. Tu y yo nos quedaremos en linea con la ley que le concierne. Ahora si ella quiere comenzar algo en mi penthouse y nos sentimos amenazados, entonces nuestras nuevas armas nos ayudarán y estaremos dentro de nuestros derechos si nos estamos protegiendo. Pero intentaremos no llegar a eso. Sabes que tendríamos que movernos. Ella nos va a cazar por siempre si eso pasa."

Me rio y le guiño el ojo. "Haré lo que pueda para no matarla en casa, amor."

"Ves que puedes" dice y luego me sonrie.

Tomando mi mano, pasa su pulgar por mis nudillo. "Tu y yo haremos un par de apariciones para hacerla morir de celos. ¿Te gusta la opera?"

"No tengo idea" contesto. "Debe ser interesante, debo pensarlo"

"Es algo. Y todos deberían ver ópera por lo menos una vez en su vida. Especialmente una en Nueva York." Toma mi mano y la besa.

Mi corazón salta un latido y miro en esos ojos verdosos y marrones y amo la manera en que parpadean. Si esa mujer piensa que me puede difamar y me tiene huyendo una vez más, está muerta.

Nuestras ensaladas vienen con una llamada. Solamente que esta vez es mi teléfono el que suena. Miro la pantalla del nuevo teléfono que Zane compró para mi, veo que es Tanya y contesto "Hola"

"¿Estás sentada, Liz?" su voz es temblorosa.

"Lo estoy. ¿Por qué?" me preparo para malas noticias.

"Tu faro. Casi se quema entero" dice y me da escalofríos.

"¿Casi?" pregunto y me siento débil como si me fuera a desmayar.

Zane me sostiene en sus brazos y acerca su silla. Susurra "¿Qué paso?"

"Sí, casi. El edificio está hecho de ese material así que no se quemó. La pintura al final está un poco negra, pero los suelos están quemados. Alguien intentó quemar todo el lugar ayer por la noche.

Los bomberos llegaron a tiempo. Deberías llamar a la estación. Estoy segura que fue a propósito."

"Estoy segura que lo fue" digo "Gracias por llamarme. Llamaré a la estación y veré qué saben."

Al terminar la llamada, Zane me mira. "¿Bueno?"

"Bueno, alguien intentó quemar el faro anoche" digo.

De repente, no tengo hambre y empujo mi ensalada. Zane sacude su cabeza y me la vuelve a pasar. "No vamos a dejar que nos arrastre hacia abajo. ¿Ha habido mucho daño?"

"Tanya dijo que la pintura de afuera se quemó, pero el material del que está hecho no dejó que pase el fuego. ¿Aseguraste el lugar?"

El toma un gran bocado de ensalada y me la hace comer al responder. "Claro que está asegurado. Llamaremos al departamento de bomberos y a la aseguradora para hacerlos ir. Sé que Meagan está detrás de esto y necesitaremos esa evidencia. Ella misma se está cavando un gran pozo, ¿no?"

"Sí. Y ahora estoy preocupada cuán lejos irá" Tomo otro bocado de ensalada ya que él la tiene mis labios y no me deja que no coma.

¡Es un gran tipo!

"No necesitas preocuparte. Tu y yo nos quedaremos juntos constantemente hasta que ella se canse. No voy a arriesgar chances contigo." Deja un beso en mi mejilla.

Entonces escucho una voz que viene por detrás. "¿Cuán asquerosamente dulce es esto? ¿Puedo unirme? Tengo algo que me gustaría decirle a ambos."

¿Ahora qué?

CAPÍTULO 18

ZANE

QUE LAS COSAS NO SALGAN A SU MANERA ESTÁ DAÑANDO A Meagan, ya que su cabello está en una tirante cola de caballo en vez de su usual estilo con rulos. Su piel está rojiza y sus labios secos. Cambia sus ojos de lugar y estoy seguro que está en algún tipo de droga.

"Te ves hecha un manojo de nervios" le digo mientras se sienta sin ser invitada.

"Tu también te verías así si hubieras pasado por cosas por la culpa de las mentiras de alguien" dice y mira a Elizabeth.

Elizabeth se rie. "¿Mentiras, Meagan? Ambas sabemos que no hubieron mentiras. Excepto las que dijiste. Nudista, drogadicta y con abortos en el pasado ¿Enserio? No me debes conocer. Esta gente en la ciudad no me debe conocer. Pero la gente con la que crecí sí, y tengo una ciudad llena de ellos que pueden hablarte de mi pasado. Estás perdiendo tu tiempo"

"Y vas a lamentarlo si piensas que te vas a quedar con este hombre. Pelearé por él. Te he explicado esto antes. No sé por qué no me tomas enserio. Deberías antes de que las cosas se vean mal para ti." Meagan dice y siento la urgencia de hacerle saber que está fuera de lugar.

"Meagan, no quiero tener nada que ver contigo. ¡Ni mierda! ¿Eso no significa nada para ti?" le pregunto.

El camarero trae otra copa para ella y yo sacudo mi cabeza al momento que se acerca detrás de ella. Se da vuelta rápido pero se detiene cuando Meagan grita. "No sabes lo que es bueno para ti, Zane. Yo sé. Sé qué es lo mejor para ti. Y esta perra no lo es, yo soy. Punto final."

El camarero se acerca a nuestra mesa y pregunta. "¿Todo bien aquí? ¿Debo alertar a seguridad?"

Meagan me mira "¿Tiene? ¿Tienes miedo de mi Zane?"

Sacudo mi cabeza. "No, puedo con ella solo."

Por primera vez que recuerde, voy a enfrentar a Meagan Saunders. Voy a enfrentarla y veremos como toma este cambio en mi.

"¿Puedes solo?" pregunta riendo.

El camarero asiente y se va, yo digo "Sí, puedo solo. Hubo un incendio en Chesapeake anoche. Vas a ser investigada por eso. Sólo para que lo sepas."

"¿Yo?" pregunta mientras sus manos se posan en su pecho. "Estaba aquí, ¿Qué tendría yo que hacer en ese pequeño pueblo?"

"Quemar mi casa" dice Elizabeth. "Si crees que alguna vez voy a huir por tus amenazas de nuevo, tienes otra cosa que pensar. Ya estamos cansados de que nos molestes."

"No llegué a donde estoy o llegaré a donde voy si dejo que pequeñas mierdas como tu se pongan en mi camino. Tengo grandes expectativas y tu, ¿qué tienes?" Meagan le pregunta a Elizabeth y ella mira a su nariz.

Elizabeth toma mi mano que descansa en la mesa cerca de mi copa de vino y la sostiene. "A él"

Veo como el rojo se apodera del rostro de Meagan y si vapor saliera de sus orejas no me sorprendería. "Cambiaré eso"

"No lo harás" le digo. "Amo a esta mujer. Esta es la mujer con la que crearé mi vida"

Los ojos de Meagan se entre cierran y casi no puedo verlo "Es un poco difícil hacer tu vida con un cadaver, Zane"

"Oh bien. Una amenaza de muerte." Digo y le sonrio. "¿Qué más tienes en tu arsenal, Meagan?"

"Tengo conexiones." Dice "Mis manos nunca se ensuciarán"

"Sí, sé sobre tus conezciones con la mafia" dice Elizabeth "¿Crees que soy la única que sabe de eso?"

Los ojos de Meagan se van a Elizabeth. "¿De qué carajo estás hablando?"

"Le dije de encontrar ese número y de tu uso de drogas." Digo llamando su atención.

"Ustedes dos piensan que están lidiando con alguien con quien no. Tengo más poder en mi meñique del que se puedan imaginar. Aún así, ustedes se sientan ahí y actúan como si no fuera algo de lo que preocuparse. Están equivocados. Consigo lo que quiero. Quiero a Zane White. Tendré a Zane White." Se estira por la mesa y toma la copa de vino de Elizabeth y bebe el contenido.

Nos sentamos y la miramos. Tengo que preguntarme cuán lejos llegará esta mujer para tenerme. Y por qué.

"Meagan tu tienes mucho poder. Tienes metas nobles. ¿Por qué no encontrar un hombre con cosas similares? ¿Por qué no olvidarme? Soy un hombre que nunca te amará. Nunca te querré. No hay nada que pueda hacer al respecto."

"Apuesto que lo hay" dice y se levanta. "Quiero verte a solas, Zane. Me lo debes."

"No te debo una mierda. Pero me reuniré contigo. No solos. En mi oficina mañana por la tarde." Le digo

Sacude la cabeza. "No, no ahí. Quiero que esto sea entre tu y yo. No quiero que nadie más sepa lo que te voy a decir. Será más fácil para ambos de esa manera. ¿Mi apartamento, mañana en la noche?"

"Nunca volveré a tu apartamento, Meagan. No creo que recuerdes, pero te drogaste y me disparaste. Ni se te ocurra." Digo y tomo la mano de Elizabeth bajo la mesa. La aprieto un poco y ella entiende mi indirecta.

"Puedes verlo en el penthouse. Yo puedo salir y les doy la privacidad que crees que necesitan. Quizá él pueda hacerte entrar en razón. Sé que yo no pude" dice Elizabeth.

"¿No estarás celosa?" Meagan pregunta sorprendida.

"No de ti" rie Elizabeth. "Ya te has arruinado a sus ojos. Eapero que puedas verlo y detener esta tontería antes de que alguien salga lastimado."

"Espero que uno de ustedes dos pueda parar esta tontería antes de que alguien salga lastimado. No me rendiré nada. Nunca lo hice y está bien para mi. No voy a parar mi forma de hacer las cosas porque una pequeña Barbie apareció" dice y se levanta. "Necesitaré por lo menos una hora. ¿A qué hora voy?"

"A las ocho de la noche" digo y veo retomando nuestro rumbo. "Nos vemos"

Ella asiente y nos deja por fin. Espero a que ella se vaya y no nos escuche para decir. "Parece que caerá en nuestra trampa, amor. Mucho más pronto de lo que pensé que lo haría."

"Ella está al borde, Zane. Es muy peligrosa ahora. Puedo verlo en sus ojos dementes. Vamos a tener que jugar esto mucho más diferente de lo que lo habíamos pensado. No podemos poner nada que pase ante ella"

¿Debo temerle a esta mujer?

CAPÍTULO 19

ELIZABETH

La luz que viene del escritorio de Zane en su oficina es la única luz en el cuarto. Ilumina completamente el area del escritorio y le llega a Meagan Saunders al sentarse del otro lado de la mesa.

Puedo ver todo de una laptop que muestra el video. El detective Lang y otros oficiales están en el cuarto de huéspedes, mirando todo desde otra computadora.

Estoy en el dormitorio y las cosas comenzaron a calentarse entre Zane y Meagan. Ella no ha salido con nada útil todavía. Básicamente ha intentado persuadirlo con promesas de una vida perfecta con ella y la dominación del mundo.

Esta mujer piensa que ser presidente de los Estados Unidos lleva el peso de ser un Dios. Está completamente loca y cómo tarda la gente en ver eso es francamente increible.

Gira en su asiento como una cabeza rota que quiere que la arreglen. Sus manos se mueven constantemente y su voz es temblorosa. Zane ha estado muy diplomático con ella hasta que ella comenzó a ponerse mala conmigo.

"Ella no es nadie, Zane. Nunca encajará en nuestro mundo" dice

"No tenemos un mundo. Yo tengo un mundo donde ella encaja perfecto. No que sea de tu incumbencia, Meagan." Dice y se inclina hacia delante con sus manos en su escritorio. "Así que ya tienes mi respuesta. No voy a dejar de ver a Elizabeth para verte a ti. Creo que esto se acabo. Ya me has quitado una hora de mi tiempo con esto."

"Esperaba verte razonar, Zane. Esperaba hacerte ver que estarás desperdiciando tu vida si te quedas con esa mujer inútil. Pero pareces no escuchar una palabra de lo que digo"

"Es gracioso, es exactamente como me siento, Megan. ¿Por qué no paras con esto de una vez?"

"No sé cómo parar de conseguir lo que quiero" Toma su bolso y Zane mira a la cámara con una expresión tensa. Seguro que teme a que ella saque un arma.

Le han puesto un chaleco antibalas bajo su traje, pero ahí está, abierto. Escucho que deja salir su respiración contenida al momento que ella deja una foto en su escritorio. "Nos ves en esta foto, ¿Zane?"

Mira y asiente, "¿Y?"

"Que parece que somos la próxima pareja presidencial para mi. No puedo entender por qué eliges a esa pequeña perra sobre mi. No puedo" Golpea el escritorio con el puño. "¡Seguramente ves por qué no puedo dejar que esto pase!"

Veo sus ojos azules claros haciéndose más claros. Va a tirar sus amenazas.

"La amo Meagan" Zane le dice. "No puedo parar las cosas con ella e ir contigo. No puedo."

Un llanto sale de ella y se apiña mientras llora. Luce triste y desesperada. Si no supiera de lo que es capaz, caería por eso y sentiría lástima por ella. Pero sé eso. Así que siento que esta tratando de manipularlo.

Por suerte, sé que Zane también ve detrás de todo esto. "Meagan, no hay razón para llorar. No ayudas en nada."

Ella mira con las lágrimas en su rostro. "Zane, tendré que hacer cosas si no terminas con esto y te casas conmigo"

Me siento y escucho. "¿Sí chantajeaste a Elizabeth como ella le dijo a la policía, no, Meagan?" pregunta y saca una caja de pañuelos que empuja hacia ella.

"Zane, he puesto mi ojo en ti hace unos años. Me aseguré de que todo esté listo si alguna vez tu encontrabas una mujer con quien las cosas iban enserio antes de que yo hubiera considerado correr para la oficina, " dice sin admitir nada.

"Meagan, debes saber que Elizabeth me contó todo. Los tratos de armas que inventaste que me mandarían a prisión por el resto de mi vida. ¿Por qué harías eso?" pregunta golpeando sus dedos en el escritorio para que ella lo mire.

Levanta la cabeza. Sus ojos se encuentran mientras dice, "Prefiero verte solo en prisión que feliz con otra mujer."

"Y con ese conocimiento, ¿esperas que todavía quiera algo que contigo, menos que menos, casarme contigo?" él pregunta y sacude la cabeza. "Tienes que ver cuán demente es eso."

"Demente es otra palabra para describir a una persona impulsiva. Cualquiera que quiera mucho algo, movería Cielo y Tierra para hacer que pase, es impulsivo. Pueden verlo como demente, yo lo veo como impulso. Todos los que toman riesgos en este mundo son los que hacen que las cosas pasen."

"No estoy de acuerdo" él dice. "Me gustaría que terminemos esto sin que nadie salga herido. Me gustaría que vayas a un psiquiatra y busques ayuda. Pero nunca querré nada que ver contigo. No importa qué. ¿Puedes entender eso?"

"Puedo entenderlo" dice y seca sus lágrimas. "No puedo aceptarlo, igual. Así que, este es el tema. He sido muy buena escribiendo tu firma."

Él la interrumpe, "Quieres decir, falsificándola"

Ignora el comentario. "También he podido conseguir uno de tus libros de cheques." Ella busca en su bolso y lo empuja hacie él. "Aquí hay una copia del cheque que escribí de tu cuenta con tu firma al final"

"Es por cien mil dólares, Meagan. Es para el Twilight Bar y Grill. ¿Por qué?" pregunta y la mira.

"Porque estás pagando por un golpe que se hará en Elizabeth

Cook, Zane. Verás, llamaste a esa gente el otro día cuando estuviste en mi casa." Dice con una sonrisa.

Sacude su cabeza. "No, no lo hice"

"Oh, pero lo hiciste. O quizá usé un aparato para hacer mi voz más gruesa como la de un hombre. Igualmente, pediste por un golpe y mandaste el cheque y ahora tu preciosa mujer va a ser buscada por la mafia."

"Cancélalo" dice. " ¡Cancélalo ahora!"

"Oh, no puedo hacer eso. Verás no soy yo quien lo pidió. Eras tu, Zane. Tu lo pediste y tu debes cancelarlo. Igualmente, el dinero no se te devolverá. Y el teléfono que usaste para hacerlo fue destruido. Asumo que sabes cómo actúan cuando reciben una llamada de un número del que no conocen. No son las personas más cordiales para hacer negocios. No creo que tengan un servicio de atención al cliente."

Se rie y aplaude. "Así que, ¿Estás listo para hacerme tu esposa? Esa mujer está muerta. Es cuestión de tiempo, eso es todo."

Zane está pálido y puedo decir que teme por mi. "No puedo creer que en realidad hagas esto, Meagan. Eres una jueza, por el amor de Dios. Estás postulada para gobernadora de Nueva York. ¿Por qué harías eso?"

"Porque te quiero, te lo he dicho un millón de veces. No va a estar en tu vida nunca más. Simplemente desaparecerá un día. Y la cosa es que, tu nombre estará por todos lados. Así que serás un tonto si piensas llamar a la policía. Sólo terminará contigo yendo a prisión. Quería que supieras eso."

"Así que piensas que has ganado" dice y su cabeza cuelga.

"Sé que lo he hecho." Saca un papel más y lo empuja hacia él. "Aquí está la licensia para casarnos. Ahora, esta es un poco más complicada. Verás, el clérigo necesita que vayas a tribunales y muestres tu identificación cuando firmes esta. Claro, que si no quieres, siempre puedo pagar para que lo hagan, igual. Es tu opción, pastelito"

Él la mira como si ella estuviera loca, que lo está. "Enserio me hubiera gustado que no hubieras hecho eso, Meagan."

"Lástima que está hecho"

SU SUMISIÓN

El Faro del Multimillonario 3

Por Kimberly Johanson

CAPÍTULO 20

ZANE

NUNCA FUE MI INTENCIÓN HACER QUE MEAGAN SAUNDERS CREA que realmente saldría con ella de verdad, mucho menos que me casaría. Pero aquí está, sentada en el otro lado de mi escritorio con una licencia de casamiento.

La mujer contrató un asesino para Elizabeth usando mi dinero y mi nombre, lo que ya es bastante malo, pero también tiene la audacia de pensar que me va a forzar a casarme con ella.

Ya he aguandtado todo lo que podía de esta mujer. Me levanto, tomo la licencia y la rompo en cuatro pedazos mientras ella me mira con la boca abierta. "Ahora vas a escucharme y vas a hacer exactamente lo que te diga que hagas. Dime que has entendido."

"¿Zane, qué carajo crees que estás haciendo?" pregunta y comienza a pararse.

Con dos pasos rápidos, estoy en frente de ella y la fuerzo a que se vuelva a sentar en la silla de cuero, que desearía fuera una silla de serpientes de cascabel en este momento. Así es cuánto me gustaría ver a esta perra sufrir.

"Estoy poniendo tu culo en su lugar. Por una vez, Meagan, te vas a sentar y escuchar lo que alguien tiene que decir." Luce genuinamente desconcertada y lo encuentro sorprendente.

"No entiendo" dice.

"Shh. Nada de hablar. Yo soy el que habla. Tú sólo escuchas. Ahora, toma tu celular y llama para detener al asesino. Ni siquiera te pido que me devuelvan el dinero, sólo no quiero tener que preocuparme por alguien que pueda herir a Elizabeth."

Se queda sentada, quieta. "No." La única palabra es simple y ella es una idiota si piensa que eso me detendrá.

Tomo su bolso del respaldo de la silla donde lo puso. Vacío su contenido en el escritorio, sosteniéndola por el hombro para que no se levante de la silla si me pelea para detenerme.

La pequeña arma con la que me había disparado cae fuerte. Luego una botella de píldoras y finalmente su celular. Lo tomo y se lo entrego. "Llama al maldito número al que has llamado para contratar el asesino o ayúdame, Meagan."

"¿Qué? ¿Qué vas a hacerme, Zane? Nada, eso vas a hacerme. No eres suficientemente hombre."

"Pruébame." Digo apretando su hombro débil. "Ahora, haz lo que te digo, o esto se pondrá putamente feo, no puedes imaginarlo."

"¡Auch! Zane, para. ¡Eso duele!"

"Lo sé. Deberías apresurarte para hacer esa llamada."

Su mano está temblando mientras busca el número. "No lo detendrán."

La puerta de mi oficina se abre y el Detective Lange con un par de oficiales están parados en frente. "¿Podría entregarme el arma, Zane?" me pregunta.

Se la paso y dejo mi mano en el hombro de Meagan, quien chilla a todo pulmón. "¿Qué carajo está pasando aquí?"

"Tiene derecho a permanecer callada" dice Lang, comenzando a leerle sus derechos, los cuales habían sido olvidados la última vez que había sido arrestada.

Los oficiales dan un paso al frente, uno la toma y el otro esposa sus manos detrás de su espalda mientras Lang termina de leer sus derechos. Un rostro dulce se aparece por el pasillo, Elizabeth se ve preocupada.

Con Meagan en buenas manos, voy hacia Elizabeth. Mientras la envuelvo en mis brazos, y la siento temblar. Escuchamos al Detective lang hablar con cualquiera a quien Meagan haya llamado, "Este es el Detective Lang con el Departamento de Policía de Nueva York. No cuelgue. Meramente quiero informarle que sabemos que se ha contratado un asesino para Elizabeth Cook, por Zane White. Está en su mejor interés cancelar la operación. El señor White no lo desea y no fue él la persona que lo ordenó. Si la señorita Cook es herida de cualquier manera, su organización puede esperar que la ira de Dios caiga sobre ustedes. Esta declaración será publicamente emitida también." Desliza el dedo por el celular para terminar la llamada y me mira mientras los oficiales se llevan a Meagan, pasando en frente de nosotros.

Ella me mira con ojos salvajes y grita, "Si pensabas que esto terminaba así, lamentablemente estás equivocado. Tengo tantas conexiones en esta ciudad que no hay chance de que me condenen."

El detective indica a los oficiales que se fueran y ellos se llevan a Meagan, quien grita obscenidades, fuera de mi penthouse. "Tenemos miedo de que eso pueda suceder, así que haremos una petición a la corte para mover su juicio al estado más que por aquí."

"Eso es una excelente idea. Ahora, ¿Qué deberíamos hacer para mantener a Elizabeth a salvo hasta que sepamos que el asesino no va a actuar?" le pregunto mientras la mujer entre mis brazos tiembla.

"Seguiría con la idea de irme de la ciudad por un tiempo. Tomar esas cortas vacaciones a la cuales iban a ir." Me dice.

"Creo que esa es una excelente idea, Lang. Gracias" apreto la mano del hombre y deseaba haber acudido a él antes. Las cosas nunca tendrían que haber escalado a este punto.

Cuando Lang nos deja solos en el penthouse, Elizabeth rompe en llanto. "¿Y si me encuentran, Zane?"

"Shh. No lo pienses. Esta noche nos quedaremos en otro cuarto y mañana nos iremos. Llamaré a Tristan y le explicaré qué está pasando. Él nos dará otro cuarto. Nadie te encontrará. No te preocupes. Y pronto, cualquiera asesino que haya sido ordenado hacerlo se le informará que no. Estoy seguro"

"Yo no." Llora. "Zane, nunca he estado tan aterrorizada. Nunca"

Agradezco a Dios que se hayan llevado a Meagan o juro que la hubiera ahorcado hasta la muerte aquí en mi sala. "Nena, vamos. Yo estoy contigo. ¿No confías en mí?"

"Sí, pero ahora estoy en shock. Mi vida nunca ha estado bajo amenazas. Verás, esta es una pesadilla para mi. Tenía este sueño recurrente de que alguien me perseguía. Siempre despertaría con el sonido de un arma disparando y fuego saliendo de ella."

"Es sólo una pesadilla, nena. No dejaré que nadie te atrape. Lo prometo."

Sosteniéndola en mis brazos y meciéndola, siento que ella no será capaz de confiar en nadie por un tiempo. Eso me pone mal.

¿Cómo puede una mujer crear tanto caos en tan poco tiempo? Meagan Saunders, mejor que se le devuelva todo lo que hice o me aseguraré que se la ponga en el lugar en el que Elizabeth se encuentra ahora.

CAPÍTULO 21

ELIZABETH

MIS ADENTROS SON COMO GELATINA, MOVIÉNDOSE LENTAMENTE Y haciéndome sentir enferma. El miedo está pasando por mis venas como veneno. Le dije a Zane sólo una parte de la pesadilla que tenía como niña.

Mi abuelo me dijo una vez cuando desperté gritando en una de nuestras pijamadas en el faro que la pesadilla podía tener algún tipo de verdad, pero en otros sentidos de los que percibimos nosotros.

Yo no tenía idea de lo que él estaba hablando en ese momento. Pensé que estaba tratando de hacer que enfrente mis miedos o algo así, en la espera de que las pesadillas se detengan.

Cuando comencé la universidad, se fueron. No he tenido una sola desde los dieciocho. Con estas noticias, la pesadilla es tan vívida como las que había tenido. El aroma a vainilla en la briza gentil es como siempre comenzaba.

El tipo de aroma que tiende a tranquilizarte, pero que a mi me trae la reacción contraria desde que aprendí a asociarlo con la muerte.

Estaba tan oscuro que nunca supe dónde estaba. Nunca pude

entender dónde estaba pasando. Estaba oscuro y había limitados lugares para esconderme.

Cada vez que me despertaba con el sonido del disparo, me sentía como si hubiera escapado de la muerte. Me levantaría cubierta en sudor y jadeando como si hubiera corrido una milla. Mi corazón tardaba muchísimo en recuperar su ritmo normal.

Zane me ayuda a ponerme una chaqueta con capucha y él viste una también mientras Tristan nos lleva por el pasillo al elevador de servicio para ir a otra suite en el hotel. "En la mañana una conferencia de prensa ha sido agendada, me ha informado el Detective Lang al salir." Tristan nos dice al apurarnos hacia el elevador. "Puedo quedarme con la Señorita Cook y tener varios de nuestros guardias de seguridad que se queden también mientras va a la conferencia. Es mejor si usted hace una declaración que si se fía de que un policía lo haga por usted. Tengo un primo que incursiona en el submundo aquí. Es el que me dijo que le diga cuál era la mejor manera de manejar esta situación."

"Tu realmente vas más allá de tu residencia aquí, Tristan" dice Zane. "Es más que apreciado y habrá una buena propina para ti, de la cual nadie necesita enterar."

"No hay necesidad de una propina, Señor White. La Señorita Cook es una persona increible. Nos devastaría a muchos de nosotros si algo le llegara a ocurrir" dice Tristan haciéndome sentir especial.

"Gracias, Tristan." Digo y le sonrío. "Me siento segura en sus manos."

Asintiendo, toma su llave y entramos al pequeño elevador, el cual no está pensado para muchos. La subida al tercer piso toma un poco de tiempo. Cuando para, Tristan camina primero y Zane espera conmigo. Después de que mira a ambos lados, nos hace señas para que salgamos y nos lleva a la puerta junto al elevador. "Aquí", dice y abre la puerta.

Nos adentramos a la espaciosa suite, veo que nos preparó una gran canasta de frutas, vino y quesos, y hasta trajo un minibar lleno para nosotros. "Tristan, esto va más allá de lo que esperaba. Gracias." Digo, quitándome la capucha.

"Personalmente les traeré la cena a los dos. Si hacen un círculo a lo que quieren del menú del servicio al cuarto, se los traeré enseguida." Él dice mientras le pasa a Zane un pequeño panfleto.

Tomo asiento en la mesa. "Yo no puedo comer ahora"

Como es costumbre de Zane, no escucha eso. "Eso no tiene sentido, tienes que comer." Marca con un círculo algunas cosas y se lo devuelve a Tristan, "Gracias, Tristan"

"¿Debería llamar a un guardia en la puerta?" pregunta.

Zane sacude la cabeza. "No, pero por favor trae la bolsa de vestido que está en mi closet a nosotros. Puedo mantenerla a salvo. Con la presencia de un hombre afuera, se darán cuenta de ella está aquí."

Asintiendo, Tristan nos deja solos. Zane enfoca su atención en mí. "Ahora necesitamos un baño caliente. Necesitas relajarte. Te daré mi masaje personal. No puedo soportar verte así."

"No puedo soportar sentirme así." Me levanto y dejo que me lleve al baño.

Una gran bañera con muchos chorros en ella me da un toque de relajación mientras él abre la canilla para llenarla. "¿Qué te parece si te desvistes y yo voy por una copa de vino?"

"¿No vas a venir conmigo?" pregunto comenzando a desvestirme.

Sacude su cabeza." No. Voy a estar completamente alerta. Tu te relajarás."

"Oh, Zane. Eso no es justo. Sé que también estás tenso."

"Lo estoy. Pero necesito estarlo. Debo quedarme en guardia. Hasta que esté seguro que tu estás a salvo, no descansaré."

"Eso me hace sentir terrible, Zane. Deja que Tristan traiga un guardia. No quiero que estés exhausto por esto." Entro a la bañera y me recuesto. Él presiona el botón en la pared para hacer que los chorros de agua caliente salgan y le peguen a mi cuerpo por todos lados.

"Déjame que me encargue de todo" dice y luego sale del baño.

Puedo ver que no va a aflojar con esto. La verdad, que él me hace sentir más segura que cualquiera. Creo que el tipo se pararía en frente de una bala por mí. No que quiera que él haga eso.

Cuando vuelve con una copa de vino, veo la preocupación en sus ojos. "Escuchaste algo" le digo al tomar la copa.

Él sacude la cabeza. "No. No es eso. Es sólo que me pregunto si ese incendio en el faro fue un atentado contra ti. Tu auto está todavía ahí. Alguien pudo haber pensado que estabas ahí."

"Podría haber sido. Sé que no fue meagan. Ella no iría allí y se pondría a cometer un crimer. Tuvo que haber sido alguien que ella haya contratado. O el asesino."

"O la asesina." Zane dice. "No podemos pensar solamente que es un hombre. Las mujeres también deben ser vigiladas. Creo que ir a Hawaii o a otro lugar más que aquí es una mala idea hasta que tengamos esto bajo contro. No te quiero afuera por nada."

Tomo un largo trajo, y comienzo a caer que estoy tan encarcelada como Meagan. Quizá es la manera en la que ella quería que las cosas fueran para mi. Darme una probada del pequeño tiempo en prisión que ella tuvo por mi culpa.

Zane mueve sus manos por mi cabello mientras lo humedece. "Esto es todo mi culpa."

"No, es la culpa de esa mujer desquiciada." Lo corrijo. "No te culpes a ti mismo, por favor."

"¿Cómo no hacerlo?" me pregunta mientras pasa su mano por mis hombros. "Si hubiera hecho las cosas diferentes nada de esto hubiera pasado. Tu vida no correría peligro. No puedo ver nada de esto sin ver la primera mentira. Si pudiera volver el tiempo atrás, lo haría todo tan diferente."

"No digas eso. Creo que haberle dicho que era tu esposa fue una manera bastante romántica de empezar lo que encontramos en nosotros. Así que no manches nuestro dulce comienzo con lo que sea que te hubiera gustado hacer que no hiciste."

Sus ojos caen por sus costados al mirarme. "Te amo Elizabeth Cook, más de lo que tu sabrás."

¡Tengo una buena idea de cuánto es eso, comparto un amor así de grande también!

CAPÍTULO 22

ZANE

SENTADO AL LADO DE LA VENTANA, MIRO LAS LUCES DE LA CIUDAD que nos rodean en este nivel inferior del hotel. La vista desde mi penthouse es muchísimo mejor que esta. Pero el nivel ofrece algo que aquel no. Se siente más parte de la ciudad que estando arriba de todo.

He vivido la mayoría de mi vida como un tipo normal de esta ciudad. Con mi fortuna, conseguí cierto status. Debería ser útil el status para terminar con la amenaza hacia Elizabeth.

¿Para qué es bueno el dinero si no puedes usarlo para mantener a salvo a la gente que amas?

Saliendo del baño, usando una bata rosa y de peluche, Elizabeth no se ve como ella. La preocupación está ahí debajo de su bello exterior. Su pesadilla la sigue persiguiendo, eso es evidente en su dura expresión.

Un golpe en la puerta me dice que nuestra cena está aquí. "Justo a tiempo, mi amor" le digo y me levanto a tomar su mano para llevarla a la mesa. "Y voy a alimentarte con cada bocado. No trates de no comer."

Ella asiente y acepta la silla que le ofrezco. Voy a la puerta, me aseguro de mirar por la mirilla y veo a Tristan con el carrito de servicio. Abro la puerta y lo dejo entrar.

Elizabeth resopla al ver cuan ornamentado está el carrito. Un jarrón de cristal con rosas rosadas está en el medio de los domos plateados que cubren nuestros platos. La cristalería está lista para ser llenada con una botella de vino caro y veo que una garrafa de algun tipo de café viene en el carrito para mí.

"Tengo su orden y me tomé la libertad de agregar una salsa de langosta que pensé que ambos disfrutarían en su costilla con parmesano. La garrafa está llena de un moca latte para ayudarlo a mantenerse alerta, Señor White." Dice Tristan al traer el carrito al lado de la mesa y arregla las cosas en ella.

"¡Tristan, eres magnífico!" Elizabeth dice y huele las rosas. "Estas son hermosas. No puedo agradecerte lo suficiente. Si debo estar atrapada en algún lugar, el Plaza contigo como anfitrión, es el lugar."

"Gracias, Señorita Cook. Es un placer servirla" dice. Una vez que termina de arreglar la mesa, se gira hacia mi. "¿Una palabra rápida, señor?"

Lo sigo mientras él vuelve por el pasillo, buscando el carrito de con la bolsa de vestido en él."Gracias por traerla" digo y suspiro. "Me siento mil millones de veces mejor con esto con nosotros."

"Estoy seguro de que así será." Dice y luego me da una mirada seria. "Fui alertado por seguridad al venir hacia aquí que dos hombres y una mujer, todos usando abrigos, habrían entrado por una puerta trasera que usa el equipo de limpieza. Ahora, estamos en eso e intentando encontrarlos mientras hablamos. Ni siquiera intente abrir la puerta. Soy la única persona que sabe que usted está aquí. Lo llamaré en vez de golpear. Mi consejo es que mantenga todo silencioso aquí."

"Me dirás cuando los tres individuos sean atrapados, ¿verdad?" pregunto sintiéndome irritado.

"Lo haré señor. ¿Tiene balas para esas cosas en el bolso, no?" pregunta.

Asiento, "Sí. Y no te preocupes, no dispararé a menos que sea absolutamente necesario."

Asiente y el sonido del elevador parando en nuestro piso lo tiene enviándome hacia adentro del cuarto mientras él toma el carrito y se aleja de nuestra puerta. Entro al cuarto, con la bolsa de escopetas en la mano, y me aseguro que la puerta esté cerrada con ambas cerraduras.

"Qué bueno que las trajiste. Sólo el saber que esas cosas están aquí me hace sentir mejor, Zane." Dice Elizabeth y me hace señas para que me siente con ella.

Pongo la bolsa en la cama y me siento en la mesa, sintiéndome aliviado porque la comida huele tan delicioso que ella no puede esperar para comer. Ubica su tenedor en el medio de los spaghetties y lo gira para sostenerlos.

"Esto se ve rico" digo haciendo lo mismo.

"Sí que se ve" dice poniendo el bocado en su boca. "Mmmm"

Hago lo mismo y luego tomo la salsa de langosta y pruebo un poco en la costilla. "Debes probar esto Elizabeth. Es excepcional"

Asiente y me hace un gesto para que ponga un poco en su plato mientras ella toma otro bocado. "Ensálsame, bebé."

Ver que la comida la ha sacado de su estado de preocupación, aunque sea por un momento, me hace más feliz de lo que esperaba. Sirvo la espesa salsa blanca con pedazos de langosta sobre la costilla con parmesano, y ella lame sus labios y junta sus palmas. "Ahí va"

Ella huele el delicioso aroma y toma su tenedor, corta la carne. Cierra sus ojos al poner en su boca la comida. "Tan rico" gime.

Me rio y sirvo un poco de salsa sobre la mia. Desearía que las cosas fueran así de simples y relajadas para siempre. Y podrían serlo si no fuera por esa mujer.

Disfrutamos el resto de nuestra cena y la encuentro mirando el postre. "¿Qué se supone que es eso?" me pregunta al levantar su tenedor. "Espera, tú lo ordenaste. Tú sabes lo que es"

"No" digo sacudiendo mi cabeza. "No pedí postre. Veamos qué nos trajo Tristan."

Ella se aproxima y quita el domo, dejando ver una pequeña torta de casamiento con un novio y una novia en ella. Una sola palabra está escrita en ella "Pista"

"Creo que ahora es el momento correcto para hacer esto" digo y me doy cuenta que hay un pequeño domo plateado que está justo al lado del que ella abrió. Quito la tapa y finalmente encuentro la pequeña caja negra que estaba en el primer cajón de mi mesa de noche.

Elizabeth se rie, "¡Wow, sutil!"

"El pequeño angelito" digo tomando la caja y abriéndola para ver el solitario anillo de diamantes brillando en ella. "Se lo mostré el otro día. El sabía dónde encontrarlo." Arrodillándome en una pierna, tomo la mano de Elizabeth y la miro.

Sus ojos se llenan de lágrimas que va a soltar. "Elizabeth Cook, mi corazón sabía que te amaba antes de que mi mente se diera cuenta"

"El mío también" dice sonriendo. "Pero Zane, no quiero que te sientas presionado por Tristan para esto. Creo que otro momento sería más apropiado."

¡Bueno, carajos!

CAPÍTULO 23

ELIZABETH

"Pero creo que este es un buen momento para hacerlo" dice Zane tan fuerte que un grito pasa por la puerta frontal.

"¡Deténganse!" grita la voz gruesa de un hombre. "Usted ahí, deténgase."

Un sonido distante se escucha y Zane se levanta, tomando mi mano y arrastrándome al otro lado de la cama. "Al piso" dice mientras ambos caemos hacia él, usando la cama como escudo para que ninguna bala que pueda penetrar las paredes, nos pueda penetrar.

El espíritu jovial que la deliciosa cena me dio, es rápidamente reemplazado por miedo, preocupación, con un poco de desesperación. No recuerdo jamás haberme sentido desesperada. Es un sentimiento extraño y no va bien conmigo.

"Escondiéndonos de nuevo Zane, lo odio" susurro. Otro sonido distante se escucha y tres más le siguen.

Zane saca de su bolsillo el celular. "Voy a ver si Tristan sabe qué está pasando aquí afuera."

Pasado un segundo, Tristan responde. "Señor White, ustedes dos quedense donde están. Un hombre fue encontrado en el tercer piso cerca de su cuarto. La policía está en camino"

"Okay" dice Zane. "Por favor, manténme al tanto cuando el hombre sea capturado. Quiero hablarle una vez que lo atrapen. Necesito que la mafia entienda que no soy yo quien pidió esto."

"Lo entiendo. Se lo haré saber a los oficiales." Dice Tristan. "Adiós, señor"

Miro a Zane, sintiéndome terrible. "He interrumpido tu propuesta. Ahora pienso que eso fue descortés. Lo siento, Zane"

"No lo sientas. Ahora no es el momento para eso. Tienes razón. Quiero hacer eso en un lugar especial y sólo tener buenos recuerdos para acompañar ese evento en nuestras vidas. No voy a ningún lado. Habrá un mejor día para hacer que eso suceda."

¡Espero que esté en lo cierto!

Sin escucharse más disparos o ruido viniendo del pasillo, me pregunto si el hombre se ha ido. "Está odiosamente silencioso allá afuera."

"Lo está. Él podría haber usado el elevador o las escaleras. Esta gente no es nueva en este tipo de cosas. Estoy seguro de que todos tienen mucha práctica."

Los dos estamos acostados sobre nuestros estómagos, de cara a la cama. Él se da vuelta y me tira hacia él, sentándonos contra la cama. Yo apoyo mi cabeza en su hombro y digo "Necesito salir de esta bata y ponerme ropa real. Si alguien entra por esa puerta, me gustaría estar más preparada de lo que estoy ahora."

"Primero, nadie va a pasar por esa puerta. Nadie sabe que estás aquí. Y pronto, voy a darte un masaje que va a ayudar con esa tensión que tienes. Así que no te preocupes por estar preparada para más que una noche de descanso, nena."

Tomando un mechón de mi cabello, lo pasa por mi mejilla y me mira con ojos seguros. Cómo me gustaría que fuera posible tener una buena noche de descanso. Pero no hay manera.

"Te amo" le digo y paso mi mano por su nuca y acerco sus labios a los míos.

Su beso hace más por mi que lo que cualquier masaje podría. Nuestras bocas se atormentan entre ellas y me encuentro sintiéndome tranquila y despreocupada mientras nuestro beso va un poco más allá de lo que pretendía.

Me subo a su regazo, enfrentándolo mientras pongo mis piernas a los lados. El gruñe, ya que me siento sobre su acrecentado pene. No llevo nada bajo la bata pero sus pantalones están entre nosotros.

Sus hábiles manos desabrochan el cinturón y toman mis senos mientras nuestro beso se hace más intenso. Muevo mi cuerpo contra su creciente bulto en sus pantalones y dejo que unos gemidos se escapen cuando mi cuerpo empieza a pedirme más.

Paso mis manos por sus brazos musculosos, las bajo hacia la cintura de su pantalón y los desabrocho, dejando que su erección se escape del material que nos separaba. Mis manos se mueven de arriba abajo, haciendo que se ponga más duro.

Sus manos se mueven de mi cintura a mis tetas. Me levanta y me baja en su duro pene, haciendo que ambos gimamos con la sensación. Me llena completamente.

Pongo mis manos en sus hombros, levantándome para acariciar su enorme pieza de perfección. Nada más que él y yo estamos en mi mente. La preocupación no tiene lugar en lo que estamos haciendo.

Voy arriba y abajo, acomodándome a él. Sus dedos presionan la piel de mi culo mientras me levanta, mostrándome la velocidad que desea. Es más rápido de lo que estaba yendo, y las palmadas que me da llenan mis oídos.

Su aliento se vuelve más caliente en mi boca mientras nuestra respiración se vuelve más dura. Supongo que la posición no le está haciendo a él lo que quiere y se levanta sin dejarme ir. Apoyando mi culo en la cama, nuestras bocas se separan y me empuja los hombros para que me acueste en la cama, con mis piernas abiertas a los lados.

Una mano se queda en mi estómago mientras él se mueve hacia delante y hacia atrás. La bata se me ha salido. Sus ojos, que se han vuelto oscuros de deseo, miran mi cuerpo al momento en que él se mete de lleno en mi.

Cierro mis ojos mientras su pulgar se mueve por mi clítoris, la sensación me tiene gimiendo a todo volumen. "Shh, nena, no queremos que nadie nos escuche" susurra con una voz ronca.

Estando callada cuando me hace sentir como sólo él sabe, es

difícil. Pero me muerdo el labio para contener los ruidos que me hace soltar por la manera en la que él trabaja mi cuerpo como un instrumento que sólo él sabe manejar.

Baja su ritmo mientras sus dedos van a trabajar en mi boton personal de placer, llevándome a un orgasmo. Él se calma yendo adentro y afuera mientras mis paredes trabajan en él.

Sus gruñidos son como música para mis oídos pero debo recordarle. "Shh. Nada de ruidos, ¿recuerdas?"

Cuando él abre los ojos, están brillantes y aprieta sus dientes. Luego sus manos están en mis caderas mientras me mueve más arriba en la cama y se sube sobre mí. Para ir más profundo, levanta una de mis piernas hasta que mi rodilla toca mi hombro.

Tengo que trabajar mucho para no dejar que un gemido se escape mientras él llena nuevos lugares y me manda al orgasmo en tiempo record. Todavía lleva su ropa, sólo su pene está afuera y la sensación de pasar mis manos por su musculosa espalda, con una camisa de seda puesta, me hace sentir traviesa como nadie.

Cierro mis ojos y nos veo en su oficina. Las luces bajas, el sonido de la gente en el área de recepción, sólo a unos metros, mientras él me toma como si fuera suya en su escritorio.

Claro, la cama es mucho más cómoda que un escritorio de madera, pero el calor está aquí como en mi fantasía. Su respiración se vuelve más fuerte en mi oído y luego sus dientes están en mi cuello.

Quiero gritar en éxtasis tanto que me está matando contenerlo. Sujetándo sus hombros, contengo mi boca para mantener mis reacciones de lo que él está haciendo con mi cuerpo, que se estremece con un nuevo orgasmo.

Muerde más fuerte mientras me llena, su pene acaba salvajemente, haciéndome arquear contra él, queriendo cada parte de él como fuera posible.

Cuando mi cuerpo pulsa, pienso en hecho de que estoy en la lista de un asesino. Y con lo que este hombre me hace sentir, la última cosa que quiero hacer es morir.

¡Debemos detenerlos!

CAPÍTULO 24

ZANE

ERA UN MARTES DE JUNIO CUANDO VI ESE ATAÚD BAJAR AL OSCURO suelo. Tiré una rosa roja sobre el brillante ataúd plateado al momento que bajaba al lugar donde descansaría finalmente el ocupante.

Mi padre estaba adentro de ese y puedo recordar cómo me sentía en ese momento. Estaba más triste de lo que había estado jamás. Pero, de alguna manera, si fuera el cadaver de Elizabeth el que estuviera en uno y tuviera que tirar una rosa sobre él, sé que sería lo más triste que pudiera estar en la vida.

Si la pierdo, creo que ella se llevaría una gran parte de mi consigo. Acostados en la cama, con mi brazo alrededor de ella mientras está en mi pecho intentado recuperar el aliento después de un sexo espectacular, no puedo con los sentimientos que se aclaran dentro de mi.

Esta mujer no trepó hasta mi corazón y mi alma. Derribó barreras y se apoderó de todo sin si quiera intentarlo. Besando su cabeza, susurro: "Eres mi corazón, nena"

Ella suspira y finalmente su respiración se calma. "Eso es

hermoso, Zane. Amo eso. Y te amo a ti también. Tu tienes mi corazón en tus manos."

"Bueno, debo ser extra cuidadoso con él entonces, ¿no?" digo con una leve sonrisa.

"Lo serás" dice "Siento como si pudiera quedarme dormida."

"Hazlo. No me voy a quitar la ropa, de todas maneras." Me había sacado los zapatos en algún momento cuando a penas comenzamos a jugar pero todo lo demás se quedó en su lugar. Con un suave beso en su mejilla tibia, susurro. "Buenas noches, sólo dulces sueños, ¿me oyes?"

Asiento y besa mi pecho, cerca de donde su cabeza está apoyada y puedo ver que ya está dormida. En casi nada de tiempo, sus pequeños ronquidos me dejan saber que ya está en la tierra de los sueños.

Mis ojos están muy abiertos mientras escucho cada ruido. Se siente como si estuviera en la guerra. Una guerra muy elegante en un lugar muy elegante, pero una guerra en fin.

Mi celular suena y lo tomo de la mesa de luz antes de que el sonido la despierte. Veo que es Tristan. "Hola ¿hay noticias?"

"Nuestras cámaras grabaron a los dos hombres saliendo. La mujer todavía está aquí por algún lado. Se pudo haber cambiado a uno de los uniformes del servicio. No conteste la puerta para nadie más que yo. Estaré mañana en la mañana para llevarle el desayuno y después será llevado al cuarto en el primer piso donde está destinada a realizarse la conferencia de prensa. De ese modo no tendrá que dejar el edificio."

"Eso es genial. El pensamiento de subir a un taxi y dejar a Elizabeth aquí, más allá de que esté bajo ojo supervisor, es una cosa que no quiero hacer. Gracias por organizar la conferencia de prensa aquí. Tu sí que eres un regalo del Señor."

"Solamente estoy haciendo mi trabajo, Señor White. No tiene que ponerme en un pedestal. La seguridad de nuestros huéspedes es lo que más nos preocupa y siempre será así."

"Tu eres la persona más devota que he conocido en tu posición. Quiero agradecerte por eso. Te veré en la mañana. Pero llámame en cualquier momento si atrapan a la mujer o a cualquiera del asunto.

Buenas noches." Termino la llamada y pongo el teléfono de vuelta en la mesa de luz.

El aroma del cabello recién lavado de Elizabeth pasa por mi nariz y lo aspiro. No recuerdo que alguna vez me haya gustado cada pequeño aspecto de una persona. La más pequeña de las cosas me tiene sintiendo más de lo que pensé posible.

Con la mujer todavía en el hotel, mis oídos están atentos a cualquier sonido. Una gota cae de la bañera, atrayéndo mi atención. El sonido del aire acondicionado encendiéndose me tiene mirando a la ventilación en el techo, por encima de la cama.

Miro por un momento mientras mi mente parece ver algo. La ventilación está tirando aire frio a nuestros cuerpos y me doy cuenta que la misma está conectada a otras por un túnel.

Podría ser una mujer que es lo suficientemente pequeña para pasar por uno de los túneles que conectan la ventilación.

Levanto el teléfono y llamo a Tristan. Llama hasta que da a la casilla de mensajes. "Tistran, necesito saber el tamaño aproximado de la mujer que está en el hotel. Llámame"

El irritante pensamiento de una mujer pequeña con un calibre en su mano me tiene levantando el cobertor para cubrir a Elizabeth y que no sea fácilmente reconocible o vista. Luego estoy yo para esconderme.

Suelto a Elizabeth, me levanto y voy por mi chaqueta con capucha en el sofá. Me la pongo y levanto la capucha. Se me ocurre otra cosa, algo que debo hacer es cerrar ambas ventilaciones del cuarto.

Tendré que trepar sobre la mesa para cerrar una y veo la caja con el anillo en ella. La levanto, la guardo en mi bolsillo y la mantengo a salvo. Luego trepo y cierro la ventilación.

Tengo que subirme a la cama para cerrar la otra. Me las arreglo para conseguirlo sin despertar a Elizabeth. No sé si la ventilación puede abrirse desde el otro lado o no, pero por lo menos intento algo.

Me ubico en la cama, cubriéndome con el cobertor también. Si ella nos llega a ver, quiero que parezca que somos una pareja normal, durmiendo. No un hombre, totalmente vestido, mirando la ventilación como si fuera un loco paranoico.

CAPÍTULO 25

ELIZABETH

El viento levanta mientras camino por la costa en el medio de la noche. El faro es inminente en la colina sobre mi. La luz de la luna se mueve sobre la oscura superficie del agua. La marca que deja llega justo a la orilla, donde mis pies descalzos están en el agua.

Un relámpago me tiene mirando al cielo para ver si puedo encontrar la nube de donde salió. Solamente un área carece de estrellas y la otra tiene relámpagos del tamaño de una montaña que van directo al agua.

Un aullido fuerte llena mis oídos mientras el viento hace su camino por las copas de los altos árboles en un lado de la costa. Es escalofriante pero igualmente me encanta la manera en que el viento y los árboles pueden simular el aullido de un lobo.

Volviendo hacia la seguridad del faro, de repente, me encuentro en un vestíbulo. La luna se fue. Sólo hay oscuridad y no tengo idea de dónde estoy. "¿Hay alguien aquí?" grito.

Mi voz hace eco en las paredes. Paredes que no puedo ver pero mi instinto me dice que están ahí. También hay un techo. Oigo el sonido chirriante viniendo sobre mi.

Camino lentamente para no tropezar o pisar algo con mis pies descalzos, voy hacia delante y comienzo a silbar para calmarme. El sonido es suave y noto que todavía puedo oír el viento dando vueltas, fuera de donde sea que esté.

"Date la vuelta" escucho flotando en el viento.

Tiene que ser mi imaginación. Justo como el viento y los árboles simulaban el lobo, debe estar haciendo lo mismo con palabras humanas, dichas con una voz gruesa.

El piso bajo mis pies se siente como arena. Me detengo y arrodillo para tocarlo con mis manos y ver si es arena. Lo que siento no es arena. Es una alfombra afelpada.

¿Cómo entré? ¿No estaba afuera?

Levantándome, me muevo por el pasillo. No hay luz por ningún lado. Es lo más oscuro que haya visto. Ni siquiera el vestigio de luz de los relámpagos que están afuera, ya que puedo escucharlos a la distancia, se ve.

La tormenta no me ha alcanzado todavía. Está lejos. El viento sopla fuerte de nuevo y juro que puedo oír un hombre llamando mi nombre. Pero no hay nadie. Ningún hombre estaría llamándome.

Aleteos se siente en el aire justo arriba de mi cabeza, algo vuela sobre mi. ¡Quizá un murciélago!

Me caigo en el piso, acostada sobre mi estómago para evitar al animal. Tiene que ser un murciélago. Ellos solamente salen por la noche ¿no?

El sonido se va y todo lo que puedo escuchar es el viento, una vez más. El pequeño relámpago aparece de vez en cuando. Decido dejar de caminar ciegamente y hago lo que puedo para enfocarme en el sendero en frente de mi. No veo nada y miro hacia atrás.

Mirando tanto como puedo, me las arrglo para ver el más pequeño punto de luz. Así que me doy la vuelta y voy hacia él. No había nada en la dirección contraria; por lo menos esto es algo.

Caminando lentamente, empiezo a sentirme mareada, como si fuera a caerme. Moviéndome a un lado, sigo caminando hasta que encuentro una superficie dura. Creo que es una pared y la manera en la que me hace sentir es increíble.

¡Encontré algo a lo que aferrarme!

Me hace más fácil caminar. Mi mano se mueve por la pared y

luego cae de repente, y me encuentro con que es una puerta. Me detengo, toco para encontrar el picaporte y lo encuentro. Lo giro y veo que no puedo. Está cerrada.

Sigo adelante, preparándome para encontrar otra puerta así no me sorprendo otra pasa en el camino. Encuentro otra, y también está cerrada.

Contando mis pasos mientras avanzo, doy ocho y encuentro otra, que también está cerrada. No sé en qué tipo de casa estoy que tiene tantas puertas cerradas.

Cuentro mis pasos y me encuentro ante otra puerta cerrada. Sigo y encuentro una puerta cada ocho pasos. Podría ser un hospital abandonado. ¡Probablemente lo es!

Habré dejado el faro y tomado un paseo. Quizá estaba caminando dormida. Y de alguna manera terminé en un hospital abandonado.

¡Tiene que ser eso!

La luz se vuelve más grande pero me está tomando mucho llegar. No puedo imaginarme no haber visto este edificio antes a la luz del día. ¡Tiene que ser inmenso!

Tendré que volvere con la luz del día, con una linterna y con el abuelo. Juntos podemos dar una caminata por él. Como lo hicimos en el faro.

Estaba asustada de ese lugar hasta que lo conocí. El abuelo es genial cuando me lleva a lugares que me asustan y luego me hace enfrentar esos miedos. ¡Es mi persona favorita en el mundo!

El sonido de alas viniendo hacia mi me hace detenerme y caer al suelo. El viento sopla afuera una vez más y suena como si alguien gritara "¡Cuidado, Elizabeth!"

El viento está jugando juegos con mis oídos esta noche. Las alas parecen moverse en círculos sobre mi. Como si el murciélago estuviera señalándome.

"¡Shu!" le grito.

No se va. Me doy cuenta que, como todo lo que el abuelo me ha enseñado, debo enfrentarlo.

¡Es un pequeño ratón con alas, después de todo!

Sacudiendo mis brazos por mi cabeza, grito. "¡Shoo! Vete antes de que te pegue y te aplaste, estúpido murciélago"

Mi mano se conecta con algo y escucho el sonido de algo golpeando la pared. Chilla y me siento muy mal. "Lo siento pequeño murciélago. Te lo advertí."

De repente, una brisa pasa cerca de mi, llenando mi nariz con aroma a vainilla. Pongo mi mano en la pared para mantener el equilibrio. "¿Hay alguien aquí? " pregunto.

No escucho nada pero la brisa se vuelve más fría mientras pasa por mi piel, la cual me doy cuenta que está desnuda adelante. Parece como si tuviera algún tipo de bata de seda. Por como la siento, encuentro que el cinturón está desatado y colgando a mis lados.

Rápidamente me envuelvo, cerrando la bata y atando el cinturón. El aroma a vainilla se vuelve más fuerte y puedo sentir la presencia de alguien que no puedo ver.

"Por favor, contesta" digo y siento que mi voz está temblando. Mi cuerpo está agitado y al instante todo lo que puedo sentir es miedo. "¡Por favor!"

En mi nuca siento algo pequeño, redondo y frío. Quizá es acero. Alguien lo está sosteniendo, ya que lo siento sacudirse un poco con sus movimientos.

Un frío envuelve mi cuerpo, "¿Quién es? ¿Qué quiere de mi?"

No oigo respuesta y luego escucho el sonido de una puerta abriéndose detrás de mi. Aprovechando la interrupción, me pongo en cuclillas y me alejo de la persona que tenía el objeto de acero frío sobre mi cuello.

Cuando me alejo ocho pasos, descanso en la puerta siguiente. Y veo luz naranja saliendo de algo, haciendo el sonido más fuerte que escuché jamás.

Gritos llenan el aire cerca de mi. Luego me sacudo violentamente.

"¡Elizabeth! ¡Elizabeht! ¡Tienes que hacer silencio! Por favor, nena"

"¿Quién es?" pregunto ya que la oscuridad todavia me rodea.

"Soy yo, nena, Zane. Estabas soñando. Te despertaste gritando. Debes hacer silencio."

¡Zane, claro!

Parpadeo y sacudo la cabeza."¿Por qué está todo oscuro aquí?"

"Se fue la luz. Hay una tormenta. Creo que dañó un transformador. No hay luz en ningún lado. ¿Ves por la ventana? Todo está oscuro afuera."

Se fue la luz. Hay una tormenta afuera. Y estoy en un hotel.

Estoy en un hotel. Un lugar con un largo corredor y muchas puertas en él. Estoy en un lugar donde hay gente que quiere matarme.

"Zane" susurro mientras me pongo la bata de seda. "Es esto amor. Esta es mi pesadilla. Mierda. ¡Está haciéndose realidad!"

CAPÍTULO 26

ZANE

"¡ELIZABETH, DETENTE!" SUSURRO A SU OIDO. "NI LOS SUEÑOS NI las pesadillas son realidad. Ahora, esto es solamente un corte de energ

Un sonido llena el pasillo, filtrándose en el cuarto. "¿Es esa la alarma de incendios?" me pregunta.

"No" digo. Creo que puede ser pero no quiero que ella lo sepa.

Mi celular suena, haciendo que se ilumine y veo que es Tristan. "Señor White, estoy envíando guardias para allá. Hay un incendio, señor. Tenemos que evacuar el edificio. Pero no quiero que deje el cuarto hasta que lleguen. Lo llamaré cuando me digan que están ahí."

Elizabeth lo escucha y pregunta, "¿Es el incendio en tu penthouse? Creo que si"

Tristan la escucha, "No sé cómo supo eso pero si, es en su penthouse. Creemos que la persona que vimos entrar con esos hombres lo comenzó cuando se fue la luz y perdimos visibilidad. El clima parece ayudar a estos asesinos con su plan."

La palabra asesinos me golpea como con un bate en mi

cabeza."Estaremos listos para ellos cuando vengan. Avísame." Termino la llamada y guardo el celular en mi bolsillo.

"Ven, nena. Vamos a prepararnos. No puedo ver nada. Voy a llevarte al cuarto y luego iré al baño. Debo hacer piss como un caballo."

"Es esto, Zane. Quiero que sepas que te amo. Quiero que encuentres el amor después de que me vaya." Dice, haciendo enfadarme completamente.

"¡Basta con eso, Elizabeth! No quiero escuchar otra palabra de tu boca como esas. Nada va a pasar. Los guardias van a venir a llevarnos y te rodearán en todo momento. Nadie pasará sobre ellos. Ahora espera por mi aquí."

No puedo verla pero sé que debe estar sacudiendo su cabeza al decir, "Verás. No pasará así. Sé que no será así. Deberíamos idear un plan que vaya como en mi pesadilla. Podrías esperar aquí mientras yo voy."

La corto "No irás a ningún lado sin mi. ¿Me entiendes? Bajo ninguna circunstancia irás a algún lado sin mi. Y ahora que sé como piensas, vas a venir conmigo al baño." La tomo y la llevo conmigo, usando el celular para alumbrar hasta allí. "¿Dónde está tu celular? Podemos usar la linterna para ver"

"Debía cargarlo, no tenía batería." Sus dedos se mueven en la luz mientras señala mi pantalla. "Tu tampoco tienes. Deberíamos tener este plan..."

"El único plan que necesitamos es pensar en que te quedarás a mi lado y nunca te irás. ¿Me entiendes?" le digo, arrastrándola para que me siga al baño.

"Me sigues preguntando si te entiendo, pero tu no pareces entenderme a mi. Debo enfrentar esto. Debo enfrentar este miedo. Viene hace tiempo. Tendré que enfrentarlo. No hay otra chance. Ahora si me escuchas," dice y me doy vuelta para ponerla contra la pared.

"No escucharé esto. No haré un plan para que vayas a enfrentar a un asesino. Sueño o no, no vas a ir a ningún lado sin mi." Y ahora estoy aterrado de soltar su mano. Ella podría intentar correr y entregarse al peligro.

Con una mano, me las arreglo para desabrochar y bajar el

cierre de mis pantalones, sacando mi pene para mear. "Puedes soltar mi mano así puedes hacer eso. No voy a correr a ningún lado sin decirte qué hacer" me dice.

"No confío en ti ahora." Le digo al terminar.

Ella tira la cadena por mi y mueve mi mano a su muñeca y me acomoda la camisa en los pantalones, abrochándolos y subiendo el cierre. "Ahí. Ahora, por favor escúchame. Esos hombres no van a llegar a nosotros."

"Tu no lo sabes" le digo tomando su mano de nuevo y volviendo a esperar a la puerta. "Pensé que había visto un par de pantuflas rosas por aquí" uso la linterna para ver, pero no las encuentro.

"No llevo zapatos en el sueño." Dice. "Está bien, nunca paso el pasillo. No los necesitaré a donde vaya. Sea donde sea."

"Tendrás que parar de hablar así." Le ruego, "No puedo tolerar el pensamiento de que algo te pase."

Presiono su espalda contra la puerta, la sostengo fuerte. Uso la luz del celular para ver su rostro, la beso y encuentro la luz desapareciendo mientras lo hago. Cuando mi boca la suelta, ella dice "Sabía que eso pasaría. Nunca hubo luz de verdad. Solamente la que está a lo lejos del pasillo y no es nada más que un vestigio de ella."

"No dejaremos el cuarto si nadie viene por nosotros" le digo, manteniendo su cuerpo contra la puerta.

"Hay un incendio, Zane. Tenemos que hacerlo. No hay opción. Ahora déjame decirte esto, por favor." Dice

No quiero escuchar nada de los planes que tiene. No quiero que caiga en esto por sus sueños de mierda. Sólo quiero que salga de aquí sana y salva.

"Creo que la mujer debe tener gafas de vision nocturna o algo así" dice "Parece que sabe donde estoy. También creo que ella tiene un drone o algo que me busca mientras las personas dejan el edificio. Ahora, todo lo que sé de verdad es que necesito estar sola en el pasillo y tu necesitas prestar atención al sonido del drone o de lo que quiera que sea que golpee la pared cuando me agache."

"¿Y por qué sólo eso?" pregunto, haciéndola reir.

"Porque es ahí cuando ella me encuentra y pone su pequeña arma en mi cabeza. Y tu necesitarás abrir la puerta y tener la escopeta lista para dispararle Zane. No te preocupes, me correré. Pero ella podría dispararme. No sé como sigue el resto"

"Así es como las cosas van a seguir. Estamos solamente tres pisos arriba. Tu y yo saldremos por la ventana si esos guardias no se presentan. Pero si se presentan, saldremos con ellos. Final de la puta historia. ¿Entendido, nena?"

Apoya su cabeza en mi pecho y suspira. "Claro. Hagámoslo a tu manera"

¡Finalmente!

CAPÍTULO 27

ELIZABETH

No vamos a hacer esto de la manera que Zane piensa, pero no voy a seguir discutiendo con él. Él sabe el plan y eso es todo lo que necesitaba.

Ha pasado tiempo desde que los guardias han sido enviados y con el celular de Zane sin batería no hay manera de comunicarnos con Tristan o con alguien.

Zane me está llevando por la ventana. Cuando toma la cortina y la corre sólo podemos ver negro por ella. Su penthouse está en el lado opuesto del edificio. Todos los vehículos de emergencia están de ese lado, estoy segura.

"Las malditas ventanas no abren" dice "Tendré que usar una silla o algo para romperlas"

"O podríamos caminar fuera de aquí como las otras personas" digo con esperanzas de llevarlo a donde necesito para que pueda enfrentarme con este que es mi destino hace un tiempo.

"¡No!" me arrastra de nuevo por el cuarto oscuro. "Romperé la ventana y usaremos las sábanas para llegar al suelo"

"No hay suficientes para llegar al suelo y no herirnos cuando tengamos que llegar al cemento, Zane" le digo ya que no ha pensado en esto ni un poco.

"Lo haremos. Sé que lo haremos." Dice tomando una silla y soltando mi mano para hacerlo. "Vamos"

La alarma contra incendios para y dejo de seguirlo mientras él va a la ventana. Veo mi chance y me doy vuelta para encontrar la puerta.

Despacio, cierro la puerta para que él no sepa que no estoy detrás de él. Se dará cuenta pronto igual. Pero iré por el pasillo a la derecha.

A propósito, me alejo unos pasos de la pared y camino con dudas en una dirección. Es lo que hacía en el sueño y me daba la vuelta.

Como en el sueño, puedo sentir que el viento sopla afuera. El tiempo parece detenerse mientras camino por el corredor. Siento que la alfombra sí se siente como arena bajo mis pies descalzos. Luego comienzo a silbar. Quizá es eso lo que la alerta de mi.

En vez de ser aleteos, siento un suave zumbido viniendo hacia mí. Lo esquivo al pasar cerca de mi y sigue por el corredor. Pronto ella verá que lo vi y me encontrará.

Una de las luces del pasillo se prende un poco y veo que esa es mi señal para girar. Nada es exactamente como en los sueños. No hay un murciélago, sólo un drone. Eso lo hace mucho más fácil para pegarle cuando vuelva, ahora que se que no es un murciélago con dientes.

Ahora me inclino para tocar la pared y cuento los pasos entre puertas. Me sorprende un poco ver que hay ocho pasos entre cada puerta. Pensé que eso sería un poco distorsionado también, pero di en la tecla.

Ahora escucho el fugaz sonido de la voz de Zane llamándome. Finalmente se dio cuenta que no estoy en el cuarto con él. ¡Le tomo tiempo!

Sólo rezo que llegue al arma. Tiene que cargarla y traer su trasero a la puerta para escuchar cuando caiga el drone. Si pierde ese momento clave, creo que será el final para mi.

¡Por favor, no dejes que sea el final para mi!

CAPÍTULO 28

ZANE

"No" digo mientras la siento. "No te vayas, Elizabeth"

Por favor dime que ella no salió de este cuarto. ¡Sólo una maldita loca haría algo así!

"¡Elizabeth!" grito para que me conteste. Quizá tuvo que usar el baño y por eso no la encuentro.

No se habría ido. No me hubiera hecho eso. Moverse por la oscuridad es agonizantemente lento. Debo ser cuidadoso al ir al baño. Debe estar ahí. ¡Tiene que estar ahí!

Finalmente, siento la puerta y entro. Toco por todas partes. "¿Elizabeth?"

¡Nada! ¡Ni una cosa!

¡Ella dejo el maldito cuarto!

Voy a acogotarla cuando la encuentre. ¡Primero déjame encontrarla!

Vuelvo a la cama donde las armas están en la bolsa de vestidos, debo sentir por todos lados para encontrarlas. No puedo creer que deba cargar esta maldita arma en la oscuridad después de una sola lección.

"Realmente eres gracioso, Señor" susurro- rezo, o algo así. "¿Qué tal un poco de ayuda aquí?" mi mano se mueve por el cierre y encuentro el final para abrirla. "Gracias"

Me las arreglo para cargarla y rezo para que no salga la bala por atrás o algo horrible como eso. ¡Eso sería terrible!

Con el arma cargada en mi mano, camino a la puerta y me siento un poco estúpido, pero luego no. Elizabeth ha acertado en todo hasta ahora.

Al inclinarme a la puerte con mi oreja lista para escuchar el golpe que ella dijo que escucharía, me doy cuenta que si acierta, estoy a punto de matar a alguien. ¡Estoy a punto de matar a una mujer!

Mi corazón se detiene y mi cerebro da vueltas en mi cabeza. ¡No soy un asesino! ¡No puedo hacer esto!

Apoyo el culo del arma en el suelo y me recuesto contra la pared. No puedo con la forma en la que las cosas están sucediendo. Su sueño le habrá dicho que tomaría a la asesina con un arma pero no tengo que hacer las cosas porque su sueño así lo dijo.

Es una mujer. Es una mujer de la mafia, pero sólo es una mujer. No tengo idea de cuán grande es, pero no soy un hombre pequeño. ¡Hago ejercicio!

Soy alto, fuerte y físicamente en forma. Mucho más que otros hombres, para decir. No voy a matar primero y preguntar después. Y por lo que sé, ella igual podría dispararle a Elizabeth.

El arma estará justo al lado de la puerta si la necesito. Pero no creo que me confíe de ella. No soy ese tipo. No soy un asesino.

Pongo mi oreja contra la puerta, levantándome las mangas de la camisa. Puedo con esa puta con mis manos. Sé que puedo.

El arma debería haber sido más pequeña. Como esa pequeña arma que Meagan tenía. Tendría que estar cerca, muy cerca para matar a Elizabeth.

Practico un poco de ejercicio que tuve en mis clases de defensa personal. Cuando vives en Nueva York, las clases son obligatorias para ayudarte a lidiar con malhechores.

Mi corazón se para cuando escucho un sonido de algo golpeando contra la pared. Luego la voz de Elizabeth dice fuerte "No tienes que hacer esto. Te han cancelado. Zane White está a punto de salir en televisión para decirle al mundo que no ha sido él quien llamó para pedir mi muerte. Fue la jueza Meagan Saunders quien lo hizo, usando un cheque robado y falsificando la firma, haciendo la llamado. Y ahora está en la cárcel porque nosotros la filmamos y los oficiales atestiguaron todo. Así que puedes dispararme pero mi hombre te disparará a ti si lo haces."

"No te creo" escucho que dice la mujer

¡Aquí vamos!

SU AMOR

El Faro del Multimillonario 3

Por Kimberly Johanson

CAPÍTULO 29

ELIZABETH

MI CEREBRO HACE UN ZUMBIDO AL PONER MIS MANOS EN EL AIRE. Escucho el sonido del drone regresando. ¡Realmente está pasando!

No estaba equivocada. El sueño era una premonición y estoy a punto de estar al otro lado de un arma. Una mujer la sostendrá, junto con mi vida en sus manos.

Mi mano se conecta con la máquina en el aire y escucho el sonido del golpe con la pared. Hace pequeños sonidos y nada más. Espero que Zane esté escuchando y haya oído el sonido.

Mi mente está en una carrera para ver qué hace después. Sólo porque el sueño fue de una manera no significa que mi realidad deba seguir eso. Puede que pudiera razonar con ella. Hacerla entender que el asesinato no fue real.

Mis rodillas se desploman con el primer sentir del aroma a vainilla. ¡Esto está pasando! ¡Esto verdaderamente está pasando!

Mi corazón late fuerte, tanto que puedo escucharlo y apuesto que ella también. Debo intentar hablarle. Las palabras que necesito decir están trabadas en mi garganta por alguna razón.

Quizá es porque el terror me paraliza. Se siente como si todos mis músculos hubieran cesado al mismo tiempo, hasta el mismo que deja pasar aire a mis pulmones. ¡No puedo moverme!

El frío del arma toca mi cuello. Mis labios se separan para intentar decir algo pero nada sale. Cierro mis ojos para escuchar si la puerta se abre, pero no oigo nada.

Con mis ojos cerrados, puedo sentir el arma mejor en mi nuca. Luego la voz de mi abuelo está en mi cabeza, "No tienes que hacer esto. Te han cancelado. Zane White está a punto de salir en televisión para decirle al mundo que no ha sido él quien llamó para pedir mi muerte. Fue la jueza Meagan Saunders quien lo hizo, usando un cheque robado y falsificando la firma, haciendo la llamado. Y ahora está en la cárcel porque nosotros la filmamos y los oficiales atestiguaron todo. Así que puedes dispararme pero mi hombre te disparará a ti si lo haces."

Ella está tan cerca que puedo sentir el calor de su aliento en mi nuca. "No te creo."

El sonido de una puerta abriéndose me hace tirarme al piso en caida libre para salir del camino del arma que Zane disparará y sacará a esa puta del medio.

En vez de un disparo, escucho un jadeo y el sonido de personas cayendo al suelo. "¡Te tengo puta!" grita Zane.

Mirando tanto como puedo en la dirección, escucho una pelea que viene de ahí. Escucho el sonido de algo pegando en la pared, un pequeño estallido y un rayo de luz me muestra a los dos en el piso. Él está sobre ella y debe haberle quitado la pequeña arma y tirado a un lado.

"¿Estás bien, Zane?" grito "¿No te disparó?"

"Estoy bien. Quédate donde estás" me grita.

"¡Tu hijo de puta!" escucho a la mujer gritar "¡Vete a la mierda!"

"Dame el cinturón de tu bata, amor" me dice Zane. "La tengo boca abajo con sus manos en la espalda. Puedes venir a ayudarme."

Voy a ellos gateando, lo encuentro y me saco el cinturón de la bata. Puedo sentir que intenta liberarse y me doy cuenta que estoy muy cerca de su cabeza. Sus dientes encuentran mi tobillo.

"¡Mierda!" grito e involuntariamente doy una patada

"¡Mierda!" ella grita cuando mi pie se conecta con lo que creo que es su mejilla.

Me apresuro a alejarme de ella. "No deberías haberme mordido, estúpida. ¿Qué carajo pensabas que pasaría?"

Las luces del pasillo comienzan a titilar y todas vuelven a encenderse. La rodilla de Zane está sobre la espalda de la mujer mientras continúa manteniéndola en el piso. Le quitó los anteojos de visión nocturna de su cabeza y están en el piso por el pasillo.

Me mira como si me hubiera acurrucado a su lado y luego me da un beso. "Te amo. Ahora, cierra tu bata, veo tus tetas"

Tomo ambos lados de la bata y la cierro. "Entraré al cuarto, tomaré tu celular y el cargador, así podemos llamar a Tristan." Cuando giro el picaporte, me doy cuenta que está cerrado. "¡Mierda! ¿No tenemos llave, no?"

"No, no tenemos. Creo que deberíamos llevarla a la entrada." Dice, se levanta y la levanta con él. Al momento que sus pies tocan el suelo, ella los usa para intentar liberarse de él. Él la pone contra la pared, rápidamente y la detiene. "Deberías quedarte quierta y estar putamente contenta de que no haya disparado tu trasero."

"Deberías haberlo hecho. Estoy muerta si me atrapan, de todas maneras." Dice

"Quizá hubieras pensado en eso antes de convertirte en una asesina para la puta mafia" le digo. "Tu no me ibas a dar un respiro, ¿por qué deber

"No te lo tomes personal" me dice "Sólo es mi trabajo"

Ella gruñe y oigo el sonido de gente viniendo por las escaleras y la puerta de la caja de escaleras se abre. Tristan está liderando el grupo de policías al pasillo y la calma en su rostro al vernos no tiene precio. "¡Gracias a Dios!"

"Es bueno verte a ti también, Tristan." Le digo mientras él se apresura hacia nosotros.

Me levanta y tengo que sostenerme la bata mientras mis pies dejan el suelo. Zane rie y entrega la mujer a los policías.

Uno la esposa y desata el cinturón de la bata de seda rosa y se lo entrega a Zane. "Disculpe, si no es mucha molestia, ¿podemos escuchar como lee los derechos a esta mujer antes de que la lleve?"

Un oficial asiente a Zane y comienza a leerle los derechos de

Miranda. Zane viene detrás de mi, acomoda mi bata y cierra el cinturón.

El rostro de Tristan es una mezcla de emociones mientras dice, "Tengo la llave de su cuarto aquí. Me temo que el departamento de bomberos no nos ha dicho la extensión de los daños del incendio en su penthouse, Señor White"

"¿Pudieron contener el incendio?" pregunta Zane

"Eso creo" dice Tristan y los oficiales comienzan a salir con la mujer llevándosela.

Ella me mira por encima de su hombro. "Más vendrán por ti. Todo lo que has hecho es hacer tu sentencia de muerte más larga."

Sus palabras me llevan a caer en los brazos de Zane. "¿Por qué?" le grito. "Dinos con quién hablar para terminar esto."

Zane me suelta. ¿Ahora qué carajo hace?

CAPÍTULO 30

ZANE

"ESPEREN UN SEGUNDO" LLAMO A LOS OFICIALES QUE SE ESTÁN llevando la única llave para llegar a la mafia. "Necesitamos que sus jefes sepan que el golpe ha sido cancelado."

El oficial que la sostiene de su brazo derecho la mira. "¿Tienes alguna manera de contactar a la persona a cargo de esto?"

Ella sacude la cabeza. No le creo. "No hay manera de que no tengas contacto con quien te envía el dinero cuando el trabajo está hecho." Le digo.

"Mira, mi única chance de mantenerme con vida es manteniendo mi puta boca cerrada. Estoy seguro que entiendes. Entonces, no soy la persona para ayudarte con este problema." Dice.

"Todo lo que pido es un poco de ayuda. No quiero nombres, mierda, ni siquiera quiero un número. Quiero que le digas a la persona a cargo que no he pedido esto. No lo quiero. Ellos pueden quedarse con el dinero. Mierda, si es necesario les daré más dinero." Le digo y sus cejas se arquean.

"¿Más dinero?" pregunta

"Lo que sea necesario" le digo "Por favor, ayúdanos"

"¿Es verdad lo que ella dijo antes?" pregunta "¿Vas a dar una conferencia de prensa pronto?"

"Lo haré"

"Quizá, si estoy ahí, ellos te creerán." Dice y luego mira a Elizabeth. "No puedo prometer nada."

"¿Pueden sus hombres mantenerla aquí? Creo que ya vamos a comenzar" le pregunto al hombre que parece estar a cargo.

"Tendre que llamar y preguntar a mi supervisor. Pero mientras quede aquí con custodia, creo que estará bien." Dice, dándome esperanzas. "Esperaremos en el cuarto donde se dará la conferencia."

Asiento y ellos siguen su camino. Me doy vuelta y veo a Tristan y a Elizabeth con un poco de esperanza. "Quizá funcione, Señor White."

"Eso espero. Necesito un traje, Tristan."

"Ya estoy en eso. No se preocupe, Señor White." Dice y se va.

"¡Ey!" lo llamo "Necesito una llave para este cuarto."

Él saca una de su bolsillo y apresuradamente me la entrega. "Disculpa. Qué día que resultó ser, ¿no?"

"Qué día, de verdad." Digo y me doy vuelta para abrir la puerta para entrar. "Tristan, trae algo para ella también. Todas nuestras ropas quedaron en el penthouse."

"Estoy en eso señor." Dice y la puerta del elevador se cierra.

Cuando entramos al cuarto, veo la escopeta al lado de la puerta. También Elizabeth la ve y me mira. "¿Por qué decidiste no usarla?"

"No está en mi matar sin intentar todo lo demás primero. El hecho de que sabía que era una mujer, por sobre todas las cosas, me tenía pensando sobre las cosas de manera diferente de las que tu sueño me hacía pensar. Tengo libre albedrío, sabes."

"Estoy contenta de que así sea" dice y tira sus brazos sobre mi. "Mi Dios, tenía más miedo del que jamás he tenido."

"Yo también" le digo y beso sus dulces labios. Un largo y lento beso que me saca de la conmoción que sentía y me trae de nuevo a la persona que soy con ella.

Cuando termino el beso veo sus ojos brillando "Esto tiene que terminar."

"Lo sé" La levanto y la llevo al sofá, me siento y la siento a ella en mi regazo. "Necesitamos un plan. El penthouse va estar fuera de uso por un tiempo, estoy seguro. Y realmente quiero cambiar las cosas, de todos modos."

"¿Quieres mudarte?" pregunta.

"Quiero que nos mudemos. Quiero que comencemos." Tomo la cajita negra del bolsillo de mis pantalones y la abro. Saco el anillo, tomo su mano izquierda y junto mi frente con la suya. "Elizabeth Annabelle Cook, necesito que te conviertas en mi esposa y hagas que mi vida sea un sueño hecho realidad. ¿Puedes hacer eso por mi?"

"Si tu puedes hacer mis sueños realidad también, yo puedo" dice y estira sus dedos. "Hazme la mujer más feliz del mundo, Zane Damien White. Hazme tu esposa."

Pongo el anillo en su dedo, digo "Y tu me estás haciendo el hombre más feliz del mundo." Tomo su mano y beso el anillo que acabo de poner.

"Comenzaremos nuestra búsqueda del perfecto lugar para vivir. Después de la conferencia de prensa, tu y yo nos iremos en el jet a Los Angeles. Vi algo cuando estuvimos por esa breve visita la otra noche."

"¿Qué viste?" pregunta mirando su anillo en el dedo.

"Vi una pequeña señal en el hotel. Hacía publicidad de una boda en la playa tan rápida como las que encuentras en Las Vegas. ¿Qué dices de eso?"

"Creo que eso suena lindo. Puedo hacer que mis padres nos encuentren allí. Están de ese lado de México de todos modos" dice.

La levanto, la llevo al baño. "Creo que eso suena genial. Ellos pueden ser nuestros testigos. Tu familia podrá mirarme diferente a la primera vez."

Ella rie y acaricia mi cuello con su nariz. "¿No te gusto ser mi pequeño sumiso?"

"Ni un poco" digo y paro mientras entramos al baño. "Y sólo para que sepas, nunca ninguno será más que el otro. Tu y yo caminamos a la par por esta vida."

Su labio inferior comienza a estremecerse y me detengo mientras lo tomo entre mis dientes. Su aliento es tan caliente en mis labios que cambio mi mordisqueo por un beso. La muevo de manera de que sus piernas se aferran alrededor de mi cuerpo y camino hasta que encuentro una pared para sostenerla mientras me muevo contra ella.

No quiero nada de llanto hoy. El día en que ella aceptó mi propuesta. El día que la salvé de ese destino que creía que sería de ella y que la llevaría lejos de mi para siempre. El día en que la verdadera vida comienza para los dos.

Sus piernas caen de mi y sus pies tocan el piso. Ella detiene el beso y me empuja hacia atrás para desabotonar mi camisa, "Creo que necesitamos una ducha, próximo esposo"

Quita mi camisa en tiempo record. Luego se mueve alrededor de mi hasta que mi espalda choca contra la pared. Sus dedos se mueven rápidamente para desabotonar mis pantalones. El sonido del cierre bajando hace que mi pene se estremezca.

Sus manos moviéndose por mis caderas al bajar mis pantalones con mi ropa interior, manda calor a todo mi cuerpo y mi pene crece en anticipación.

Se mueve hacia abajo al momento de bajar mis pantalones y se pone de rodillas en frente de mi. Yo gruño y pongo mis manos en la pared mientras su boca se mueve por mi. "¡Nena!"

CAPÍTULO 31

ZANE

TRISTAN SE SIENTA JUNTO A MI EN EL SOFÁ MIENTRAS MIRAMOS LA conferencia de prensa en el cuarto del hotel. Tres guardias están conmigo. Uno afuera de la puerta, uno adentro y otro a mi lado, mirando la televisió

"Mira que guapo que se ve." digo al ver a Zane acercarse al podio vestido comn un traje azul oscuro. Su cabello oscuro está perfectamente peinado y su barba oscura también está cortada a la perfección. Mi corazón se vuelve loco al verlo en televisión.

Tristan toma mi mano y mira el anillo que Zane me dio hace un rato. "Estoy contento de haberme llevado esto antes de que el incendio sucediera. Hubiera sido una pena si se hubiera arruinado."

"Lo sé. Es precioso. Gracias por hacer eso." Digo y miro al diamante brillante. "Su proposición fue tan dulce. Como nunca lo hubiera imaginado"

Tristan sonrie y me da una palmadita en la pierna. "Ustedes dos serán una pareja muy feliz. Sólo sé que lo serán."

Asiento mientras él toma el control remoto y sube el volumen de la televisión. "Hola, como muchos saben, soy Zane White, el dueño de la Compañía Sandstone, con base aquí en la ciudad de Nueva York. He crecido en esta ciudad y necesito su ayuda. La vida de mi prometida ha sido puesta en la linea de fuego por la jueza Meagan Saunders, quien actualmente está en prisión, después de haberse presentado cargos por serios crímenes. Todos de ellos fueron terribles, pero uno fue abominable y terrorífico para mi prometida, Elizabeth Cook, y para mi. La jueza Meagan Saunders usó una máquina para alterar su voz, haciéndola sonar como la de un hombre. Tiene conexiones con el mundo de las drogas y las armas en la ciudad. Tiene muchos secretos y sus conexiones con ese grupo le dieron la posibilidad de contratar un asesino para Elizabeth Cook. Ella robó uno de mis cheques y falsificó mi firma para hacer un pago que certificara el golpe."

Los reporteros se vuelven locos con las preguntas, haciendo que la televisión zumbe con sus gritos. Zane apunta a un hombre que dice, "Hola, soy Brian Glass de New York Times. Estas son acusaciones serias, Señor White. ¿Cómo podemos creerle?"

"Tenemos a Meagan Saunders en video y el departamente de policía trabajó con nosotros para conseguir la evidencia. Cuando la investigación esté terminada, seguramente el video será publicado. La policía lo tiene en este momento. Pero no estoy aquí para hablar de Meagan Saunders. Estoy aquí para hablar sobre detener el golpe a Elizabeth Cook. No lo ordené y no quiero que se lleve a cabo. El dinero no es un problema. No intentaré conseguir que lo devuelvan. Sólo quiero saber que la mujer, que será mi esposa, esté segura en nuestra ciudad. Tres individuos han venido al hotel temprano en la mañana para matarla."

Dos oficiales traen a la mujer que intentó matarme para que se pare junto a Zane. Su cabello oscuro cae en su rostro. Sigue usando la ropa negra que tenía para no ser vista en la oscuridad. "He sido arrestada por intento de homicidio a Elizabeth Cook. Imploro al que esté esperando a recibir el dinero por este golpe cesar todas las acciones. Era una farsa hecha por la Jueza Meagan Saunders. Este hombre a mi lado podría haberme matado. Su compasión por mi vida es la razón por la que estoy pidiendo a todo al que pueda oír que detenga los planes contra Elizabeth Cook."

Zane toma toda la atención al decir, "Conozco a mucha gente

en la ciudad. Si alguno de ustedes tiene un contacto especial al grupo que ha sido contratado para cometer este crimen, les pido que les hagan saber, esto sería un horrible cimen. Es el acto de venganza de una mujer que nos quería hacer creer que debería ser gobernadora de estado. Nuestro estado. No dejen que su maldad dañe a nadie más, especialmente a la mujer que amo con todo lo que tengo."

Uno de los oficiales se acerca al micrófono. "Dejo para que sea sabido que si Elizabeth Cook es herida de cualquier manera, nuestro departamente no parará hasta asegurarse que no sólo el agresor, pero también la organización entera detrás de la persona sea responsable. No hagamos de esto una guerra. Terminémoslo aquí."

"Gracias por su ayuda" Zane termina la conferencia de prensa y las camaras se apagan, de vuelta al escritorio de anclaje.

Tristan apaga la televisión. "Bueno, creo que eso salió bien. ¿No?"

Me siento un poco incómoda pero digo, "Eso creo. Zane dijo que nos iremos hoy. No estoy segura si volveremos a vivir aquí. Dijo que quiere que nuestra vida siga."

Tristan me mira con los ojos abiertos y abre sus brazos. "Abrazo" Lo complazco mientras el me mece de un lado al otro. "Voy a extrañarlos a ambos más de lo que imaginan. Ha robado mi corazón, Señorita Cook."

"Tristan, me vas a hacer llorar. Te voy a extrañar también. Estoy seguro que cuando estemos en la ciudad, siempre nos quedaremos aquí." Le digo al soltarme.

"¡Más les vale!" Su sonrisa me hace sentirme mejor.

"Lo haremos. Solamente tu sabes como hacerme sentir especial. No me quedaría en ningún otro lugar."

Las puertas se abren y Zane entra con una sonrisa en su rostro. "Creo que ha salido perfecto."

Tristan se levanta y va directo a él, extendiendo su mano. "La señorita Cook recién me ha contado las buenas noticias. Ambos van a buscar una casa. Felicitaciones en todo, Señor White."

Zane aprieta su mano y le da una palmada en la espalda.

"Gracias, Tristan. Por supuesto, siempre nos quedaremos aquí, o donde sea que te encuentres trabajando. Eres uno en un millón."

Una lágrima cae por la mejilla de Tristan y me encuentro sonriendo. Él realmente se preocupa por nosotros. ¡Es nuestro ángel!

Me levanto y voy a abrazarlo. "Aww, realmente voy a extrañarte."

"Yo también" dice y me suelta. "Ahora, dijeron que se van hoy, así que hay mucho que hacer." Mira a Zane. "Asumo que se la lleva para casarse y robárnosla de hacerle la fiesta de casamiento más espectacular del mundo, ¿no?"

"Así es" contesta Zane.

"Entonces estoy obligado a realizar un espontáneo y rápido trámite para enviarlos a ambos con estilo. Traeré en un momento al equipo de la señorita Cook" Tristan me mira. "¿Confía en que le encontraré el vestido perfecto?"

Asiento y aplaudo. "¡Sí! El casamiento será en la playa de Los Angeles."

Zane rie. "Consíguele todo lo que necesitará, ¿Si, Tristan? Quiero estar en el jet más o menos a las tres de la tarde. Tendré a sus padres volando y llevados al lugar donde nos casaremos. Ya me han enviado los papeles por internet y los firmaremos y los enviamos de vuelta. La boda será esta noche a las nueve."

Tristan se apresura. "Me ocuparé de todo. Y los guardias se quedarán justo donde estan. Los tendrán con ustedes hasta que suban al jet. ¡Esto es tan excitante!"

¡Sí que lo es!

CAPÍTULO 32

ZANE

"Lamento mucho sobre las mentiras, señor. No tiene idea como me gustaría volver el tiempo atrás y cambiarlo." Le digo al padre de Elizabeth.

"Bueno, eso fue bastante extraño, debo admitirlo. Pero todo salió bien. Mi verdadera preocupación es lo que vi en las noticias en el hotel temprano. Lizzie no nos contó nada sobre casi ser asesinada" dice mientras acomodo su corbata.

"¿No lo hizo?" le pregunto como si no tuviera idea. Sabía que no lo había hecho. No quería que nadie nunca se enterara pero las malditas noticias viajan por el país rápidamente. "Bueno, suena mucho peor de lo que realmente es. Me refiero a que, ella siempre estuvo a salvo."

¡Estas mentiras no dejan de salir de mi boca!

Tendría un problema que nunca supe que tendría jamás. Su padre me entrecierra los ojos, diciéndome eso que tiene más para preguntar. "¿Por qué se ha llamado un asesino para matarla a ella en primer lugar? Nadie en la familia Cook ha tenido cruces con la mafia. ¿Cómo llego ella a eso?"

"Ella no lo hizo. ¿Escuchó la conferncia de prensa?" paso mi mano por su espalda para emparejar las arrugas del saco.

"Lo hice. Escuché algo de una jueza. Suena excéntrico, realmente" me dice.

El hombre alto y larguirucho que va estar oficializándo la boda, da un paso al vestuario. "¿Están ambos listos? Nueve treinta tengo una boda. Necesitamos llevar este show al escenario, como dicen."

Asiento y seguimos al hombre afuera. "Podemos hablar más de esto en otro momento." Le digo a su padre. "Lo dejamos atrás, eso es lo que importa."

Él asiente pero me mira de manera sospechosa. "Okay. Traeré a Lizzie y te la entregaré a ti."

Cuando se aleja, veo que la madre me mira, toca sus ojos y se sienta en la primera fila de asientos. El resto están todas vacías y me pregunto si a Elizabeth le hubiera gustado tener más gente aquí.

Me he apresurado desde el momento en que la conocí. La presioné para que aceptara mi cita y luego la tuve fingiendo ser mi esposa esa misma noche. Ahora que la tengo cerca del altar, de nuevo apresurado, ella sólo tiene a sus padres aquí.

¡Soy un estúpido!

La música comienza, haciéndome voltear para ver si viene. Cuando sale detrás de la pared blanca, con su mano en el brazo de su padre, mis rodillas se vuelven débiles.

De alguna manera se ve muchísimo más hermosa que lo que se veía antes de que la deje para que se cambie de ropa. El vestido que Tristan eligió para ella es perfecto. Todo el camino de arena está vestido en una tela de seda que brilla en la luz de las velas.

El sonido de las olas tocando la playa le da algo más al ambiente de esta noche perfecta. De repente, no siento que nada haya sido apresurado. Ella está viniendo hacia mi y pronto será mi esposa. Se siente como si hubiera esperado toda la eternidad por este momento.

Un hilo de perlas cuelga alrededor de su cuello y levantó su cabello dorado lo suficiente para mostrar su largo y elegante cuello. El vestido no tiene tiras y sus hombros brillan a la luz de la luna.

Sus ojos verdes brillan y sale felicidad de ellos. Es la persona más hermosa que he visto. Y que veré cada día por el resto de mi vida.

Cuando finalmente llegan a mi, su padre pone su mano en la mia y besa su mejilla. No puedo dejar de mirarla mientras ella hace lo mismo. "Hola" digo.

"Hola" responde.

Nos damos vuelta para mirar al hombre que nos va a convertir en una pareja de verdad, unida en santo matrimonio. Él habla y nos turnamos para repetir sus palabras. Todo en lo que puedo pensar es en nuestro futuro. ¡Una casa, niños, mascotas, primeros pasos, primeras palabras, un millón de "primeros"!

Viene la parte en la que nos ponemos los anillos en los dedos del otro y me encuentro que lágrimas salen de sus ojos. Paso mi pulgar por su mejilla cuando una se escapa. Toma mi mano y la pega a su rostro.

Me encuentro con un nudo en mi garganta y debo aclararla. Ella sonrie cuando el hombre me dice que puedo besar a la novia. La miro a los ojos por una eternidad antes de besar sus dulces labios.

El beso es diferente a los demás. Algo ha cambiado. Ahora somos uno, como las palabras que siguen dicen. Estamos para protegernos el uno al otro. Estamos para sostener este lazo sagrado por el resto de nuestras vidas. Estamos para hacernos el bien el uno al otro.

Estoy seguro que vamos a poder hacer todas esas cosas. La única cosa que falta aquí, en esta noche, es mi padre y su abuelo. Pero apuesto que nos están viendo desde donde sea que estén en el Cielo.

Terminamos nuestro beso mientras el sonido de un rayo pasa por el aire, seguido por un gran relámpago. Nuestros labios se separan y ella me mira a los ojos de nuevo. "Te amo, Zane White."

Mis nudillos acarician su rosada mejilla. "Te amo, Elizabeth White."

Creo que podría quedarme parado aquí y mirarla a los ojos para siempre. Pero luego no llegaríamos a la mejor parte ¡La luna de miel!

La levanto y la llevo de nuevo por el pasillo hacia la limusina que nos espera para llevarnos al cuarto de hotel. La dejo en el asiento trasero, me deslizo junto a ella y encuentro que su mano tiembla cuando la tomo.

"¿Nerviosa?" pregunto riendo "No es como si fuera nuestra primera vez, nena"

"No es eso. Es sólo que siento un cambio. Lo siento. Es loco. Han pasado como dos minutos desde que cerramos el pacto y siento la diferencia" dice "Es abrumador."

"No dejes que te abrume, nena. Somos nosotros, pero mejores. Más estables. Comprometidos. Digo, te acabas de convertir en multimillonaria pero más que eso, eres la misma mujer que eras antes de la ceremonia."

"¿Soy multimillonaria?" pregunta y luego sacude la cabeza. "No, tu lo eres"

"Lo que es mío, es tuyo." Digo y la traigo para besarla. "Y lo que es tuyo, es mío."

"Tuviste la peor parte del trato, ¿no?" me pregunta riendo.

"Tuve la mejor parte del trato. Te tengo a ti y eso es mejor que cualquier dinero en el mundo." La siento en mi regazo, quito las hebillas de su cabello y dejo que caiga en cascada por sus hombros desnudos. "Por favor, nunca pienses en el dinero como mío. Es nuestro ahora. Quieres algo, lo tienes. Mi esposa merece todo lo que quiera."

"Me consientes" rie.

"Prefiero llamarlo, hacerte feliz en vez de consentirte."

"Me haces feliz, Zane."

Y al mirarla a los ojos, creo en sus palabras. ¡Ella se ve feliz!

CAPÍTULO 33

ELIZABETH

"¡EMPUJA!" DICE ZANE MIENTRAS MI ROSTRO SE PONE ROJO.

"Lo estoy haciendo" grito de vuelta.

"¡Tienes que hacerlo mejor, Elizabeth White!"

¡Ahora me está haciendo enojar!

"Esta es la primera vez que me dejas hacer ejercicio contigo y no puedo levantar esta maldita pesa, Zane. Ahora quitame un poco de peso o nunca seré capaz de hacer una repetición." Le digo mientras intento calmarme con un respiro profundo.

"Son sólo cuatro kilos más encima de las barras. Creo que necesitamos hacerlo un poco más lento. No tienes fuerza en la parte de arriba de tu cuerpo, nena" me dice.

"Bueno, ahora me he molestado." Digo entre dientes mientras empujo la maldita barra hacia arriba en contraposición a lo que lo sostiene sobre mi. "Uno. Dos. Tres. Okay, tres. Eso está bien por ahora." La devuelvo a la ranura y veo que Zane me mira sonriente.

"Ahora veo cómo debo seguir. Sólo necesito que dudes. Ya lo entiendo." Dice riendo. "Ahora a lo siguiente."

"No, ahora a la ducha y luego a cenar. Me has torturado por

treinta minutos. Eso es suficiente para mi." Me salgo del banco y voy hacia la ducha en el cuarto de ejercicios que terminó ayer.

"Debo terminar con mi entrenamiento. Prepárate. Estaré listo en hora y media" me dice.

"Lúcete" grito sobre mi hombro, dejando el cuarto.

Encontramos un lugar lindo de diez dormitorios fuera de Hamptons. El hombre debía tener esta mansión, a la cual no lo dejo llamarla nuestro hogar. La última cosa que quiero para nuestros hijos es que sean presumidos y le digan a la gente que viven en una mansión.

Pasamos el fin de semana en el faro como casi todos los fines de semana. Ha pasado un año desde que nos casamos, nuestro aniversario es la próxima semana. Es dificil creer que tanto tiempo ha pasado.

Zane ha estado presionándome para que empecemos nuestra familia. Así que le compré un perro como el regalo de aniversario. Sé que no es a lo que él se refiere, pero no me gusta darle al hombre todo lo que quiere cuando lo quiere. Es bueno esperar por algunas cosas, después de todo.

La razón real por la que detenido la idea de tener hijos es porque el juicio de Meagan ha sido demorado por sus abogados, amigos de la escuela de leyes que están trabajando en el caso gratuitamente, lo que nos molesta demasiado, lo han pospuesto.

Ella ha tenido que sentarse a esperar, ¡pero no debe molestarle tanto o ya habrían realizado el maldito juicio!

No quiero traer a ningun niño a la guerra entre ella y yo. No dejo que nada pase por la mujer. Cualquier niño podría estar en peligro si ella sale en libertad, en mi opinión.

Zane no concuerda conmigo. Me dijo que podríamos conseguir guardaespaldas si sale por alguna razón. Aceptaría eso para nosotros, pero no para un pobre, pequeño, inocente niño.

No, hasta que no sepa que pasará con ella, no puedo traer a un niño al mundo. Me volvería casi loca si lo hiciera. Sería una de esas madres paranoicas. Mamá helicóptero. ¡No gracias!

Enciendo el agua en la ducha que usamos exclusivamente después de ejercitarnos, por las órdenes de Zane, ya que tiene una ducha masajeadora arriba y chorros que salen de las paredes para golpear nuestros músculos en la forma perfecta. Me quito la ropa y doy un paso adentro.

"Tiene razón. ¡Se siente genial!"

Fui a una reunión con Zane el otro día y me encontré controlando todo sin darme cuenta. Él estaba tan orgulloso de mi. Parece que tiene una gran influencia en mi, haciendo que todo mi ser florezca.

Desde que ha estado en mi vida, he aprendido cosas sobre mi. Soy más fuerte de lo que pensé que era. Soy más inteligente, también. Tengo más autoestima y confianza y es todo porque él me lo inculca.

Para un hombre que no buscaba convertirse en esposo, es el mejor que he conocido. En ocasiones cuando nos juntamos con otras parejas para almuerzos o cenas, veo como los hombres tratan a sus mujeres. Zane me trata con más respeto del que cualquiera de ellos lo hace.

Algunos ponen a sus mujeres en un pedestal. Deben verse siempre lindas. Deben tener buenos modales. Siempre en una postura y nada de usar insultos, a menos que quieran una mirada de desprecio de sus esposos.

Zane sabe que soy humana. Me acepta cuando me levanto de la cama con dolor en la espalda y de cabeza por mis asuntos femeninos y le digo, que no me pondré otra cosa que pantalones de gimnasia y no iré a la oficina. El siempre viene a casa con lo básico necesario. Chocolates, vino y una película graciosa.

El sabe cómo consentirme, cuándo ayudarme, cuando dejarme hacer las cosas sola. Sé que él será un padre maravilloso. No hay duda de ello en mi mente.

Si las cosas se hubieran asentado con la mujer loca, probablemente ya estaría embarazada. Pero no lo están y no voy a dejar ponerme en esa condición sin saber dónde estará esa mujer.

"Hola" escucho que dice mientras lavo mi cabello.

"Pensé que estarías ejercitándote" digo mientras él se quita la ropa.

"Si todavía lo estoy haciendo. En vez de levantar pesas, voy a levantarte a ti. Arriba y abajo, arriba y abajo, hasta que no pueda más." Se mueve hacia la ducha y gruñe al sentir cuán bien se siente el agua.

Quitando el shampoo de mi cabello digo, "Sabes que en el baño suceden más accidentes que en cualquier lugar del mundo"

Sus manos toman mi cintura al levantarme y presiona mi espalda contra la pared de mosaicos. "Bueno, tendremos que ser muy cuidadosos. Te digo algo. Tu aferrate a mis hombros para no resbalarte y caerte"

Su erección pasa entre mis muslos un par de veces, excitándome hasta que me retuerzo para él, mostrándole lo que me hace. "¿Vas a usar esa cosa o no, Zane?"

"Pensé que no lo pedirías nunca" dice y levanta mi cuerpo contra la pared, haciéndome gemir con placer mientras se mueve hacia mi. Mis piernas van alrededor de él y yo me aferro a sus hombros. "Amor, te sientes como mi hogar."

"Yo soy hogar" susurro. "Tu hogar"

Como su cuerpo me lleva, todo lo que puedo pensar es cuán bien me hace sentir en cualquier modo posible. En momentos, nosé si lo merezco, pero todo el tiempo sé que no puedo dejarlo ir.

Con cada día que pasa, se vuelve más obvio que mataría por este hombre. Meagan Saunders tiene que recibir lo que merece. Si sale en libertad, no tengo idea de qué le haré.

CAPÍTULO 34

ZANE

"Sé que has querido empezar esta familia, Zane" Elizabeth me dice mientras volvemos a casa de nuestra cena de primer aniversario.

La miro y le pregunto, "¿Debería detenerme y estacionar? ¿Estás a punto de hacerme el hombre más feliz del mundo?"

"Creí que ya lo eras" dice sonriendo, "Y no, no hay que estacionar. Tenemos que llegar a casa"

"Entonces, ¿Qué quieres decir con lo que acabas de mencionar? Tomaría eso como que ya estás lista para superar tu miedo y tener nuestro primer bebé"

"¿Miedo?" pregunta y me mira con su boca abierta, "¿Miedo? No es el miedo lo que me detiene. Es el hecho de que Meagan Saunders es una lunática. No sabemos dónde estará hasta el juicio y no voy a traer a un niño a esta cosa que tenemos con ella."

"Sí, porque tienes miedo" digo y sé que estoy tocando un punto delicado en ella. Pero cuando un hombre está listo para comenzar una familia, a veces da un golpe bajo para hacerlo.

"No lo llamaría tener miedo. Lo llamaría ser inteligente." Sus brazos se cruzan sobre su pecho y sé que la dejé pensando.

Elizabeth siempre enfrenta sus miedos. No importa cuán grandes sean, ella los enfrenta.

Este año en Halloween, me contó que siempre le tuvo miedo a los payasos. Especialmente a los que se ven espeluznantes. Me pidió ayuda para ayudar a superar eso. La llevé a una de esas casas embrujadas y le pagué a unos hombres para que se vistieran con unos trajes de payasos bastante aterradores que les di para añadir más miedo a la visita.

Ella estaba asustada como la mierda pero se obligó a entrar a la casa tres veces hasta que salió riendo a carcajadas en vez de llorar.

Estoy orgulloso de cómo ella enfrenta sus miedos. Lo estoy. Más allá de que cuando me dejó en el cuarto de hotel la quería matar, todavía me encuentro malditamente orgulloso de que lo hiciera.

Elizabeth es un regalo peculiar. Es la esposa perfecta para mi. Una compañera, una amante, una mejor amiga, todo en una. Sólo quiero que también compartamos el hecho de ser padres. Creo que sería una mamá excelente.

Es buena, educada, inteligente, hábil, divertida. Todas las cosas que hacen a una buena madre. No es la mejor cocinando pero está bien, tenemos una par de sirvientas que cuidan la casa y hombres del jardín. La mansión es muy grande para que la cuidemos solos.

Me doy cuenta que ha estado callada por el resto del camino a casa. Le doy una palmadita en las costillas mientas estaciono. "Una moneda por tus pensamientos."

"¿Qué? Oh, no tengo ninguno. ¿Estás listo para que te de el regalo que te compré?" me pregunta y descruza sus brazos, como volviendo en si.

"Lo estoy. ¿Es tan lindo como el anillo de zafiros que te compré yo?" pregunto y abro la puerta para ayudarla.

"Bueno, es diferente de algo así. Sí creo que lo disfrutarás. Ven, está adentro, creo." Me lleva con ella, y parece muy emocionada por el regalo.

"¿Crees que está adentro?" le pregunto mientras la sigo.

"Sí. Le dije a Connie que lo ponga en la sala de estar." Dice abriendo la puerta de entrada.

"¿Cuán grande es?" pregunto al entrar.
"Um, creo que tres kilos, o un poco menos" dice, y me intriga.
"¿Kilos?" le pregunto y la encuentro deteniéndose y sacando algo del cajón del pequeño escritorio detrás del pasillo de entrada.
"Aquí. Quiero taparte los ojos." Me pone una venda en los ojos y me encuentro riendo.
"¿Es esto un regalo para mayores de dieciocho?" le pregunto. "Porque creo que eso me gustaría."
"Estoy segura de que sí, pervertido. No, no es nada por el estilo. Es dulce como lo que es. Ahora ven conmigo y lo pondré tus manos después de que te siente en el sofá."
"Ponerlo en mis manos. ¿Qué carajo es Elizabeth? ¡Me estás volviendo loco de curiosidad!"
"Bien. Oh sí. Connie hizo lo que le pedí. Okay, te sentaré en aquí. Ahora, nada de espiar. Prométemelo." Dice y me empuja los hombros para que me siente.
"Okay lo prometo. Pero más tarde tu vas a usar la venda y voy a buscar crema batida. Vamos a tener una fiesta en nuestra habitación."
Escucho risas mientras se aleja de mi. "Trato hecho."
Cuando viene, se sienta en mi regazo. "¿Y qué es esto? ¿Eres tu mi regalo de aniversario?"
"No" dice y toma una de mis manos, moviéndola por su rodilla y arriba hacia su muslo.
"¿Segura? Sólo te siento a ti, nena"
Se rie de nuevo y mueve su mano más arriba. Siento algo peludo bajo mi palma. "¿Qué crees que es?" pregunta.
"No ha pasado mucho desde que sentí esto, ¿pero cómo crecería tu pelo tan rápido?" le pregunto y muevo mi mano por lo suave y peludo que creo que es de ella. Supongo que se volvió retro para mi en nuestro aniversario. ¡Extraño!
Luego pequeños dientes me muerden juguetones la mano y sé qué estoy sintiendo. Sus manos se mueven por mi hombro y alrededor de mi cabeza para desatar la venda. Cuando miro, veo un pequeño cachorro negro.
"Es un labrador negro, Zane. ¿Te gusta? Es el primerísmo primer miembro de nuestra familia. Puedes llamarlo como quieras."

Lo levanto, miro en sus ojos marrones y me lame la punta de la nariz. "¡Gracias a Dios! Pensé que ibas en una dirección completamente distinta"

Me pega en el hombro. "¡Sucio!"

"Sí, lo era. Me gusta este pequeñito. Podríamos llamarlo Rover. Nunca tuve un perro y siempre pensé que si tenía uno, lo llamaría Rover."

"Es tradicional. Okay, Rover, lo es. ¿Enserio te gusta?" me pregunta y pasa su mano por la pequeña cabeza.

"Enserio" le digo y beso su mejilla.

La realidad es que me gusta el cachorro. Pero estaba esperando que me dijera que secretamente había dejado de tomar la píldora y estaba embarazada.

Estoy decepcionado. Ella y yo siempre estamos en la misma sintonía. Estaba seguro que haría eso. Esa maldita Meagan Saunders todavía maneja nuestras vidas.

Esa mujer mejor que tenga lo que merece y no salga de esto libre o con libertad condicional. Por cómo está afectando nuestras vidas, no tengo idea qué haré con ella si eso sucede.

Todo lo que sé es que mejor que no pase. No sé cómo podría controlar toda la ira que siento por ella. No cuando ella todavía sigue afectando nuestras vidas después de un año entero.

Elizabeth descansa su cabeza en mi pecho mientras ambas de nuestras manos acarician al cachorro quien se está durmiendo por nuestra atención. "Sé que es lo que realmente quieres, y quiero dartelo. Quiero que lo sepas, Zane."

"Lo pensé. Tu y yo pensamos muy parecido. Sé que no quieres traer otra vida en esto hasta que sepas que estamos a salvo de esa mujer. Lo sé, enserio. Pero mierda, lo odio."

"Yo también."

Paso mis manos para sostener su rostro y besarla. No puedo pensar en otra cosa que en qué pasaría si Meagan sale libre. No sería bueno. ¡No sería bueno para nada!

CAPÍTULO 35

ELIZABETH

SOSTENIENDO A ROVER EN MI REGAZO, VEO UNA TORMENTA QUE VA por la costa mientras me siento en el sofá de cuero color arena arriba en en el faro. Zane fue a buscar pizza y cerveza.

Las noticias reportaron que el juicio de Meagan comenzaría esta mañana. Sus abogados no pudieron conseguir que el juez les conceda otra posposición, después de tantas.

Él lo hizo en parte por una visita de Zane y mia. Como sus víctimas, él tuvo nuestros sentimientos en consideración. Cuando Zane le dijo cómo ella todavía afecta nuestras vidas, encontró compasión en él y nos dijo que se aseguraría que la justicia estaría servida.

Después de la reunión con el hombre que pareció justo, me sentí mucho mejor. Pero luego él nos recordó que ella tendría un juicio con jurado. La decisión no está enteramente en sus manos.

Rover creció en el último mes desde que se lo regalé a Zane. El hombre está loco por él. Ya le enseñó cómo ir a buscar, y está encantado de mostrarme cada día lo que le enseñó para que lo busque y lo traiga.

Tu pensarías que él inventó el juego por la forma que está tan emocionado. Pero luego pienso, él nunca había tenido un perro. Yo tuve varios cuando era niña. Cuando tenía quince nuestro tercer perro falleció. Mis padres me dijeron que no tendríamos otro.

Me dijeron que cuando yo me fuera a la universidad, ellos comenzarían a viajar. No que los hubiera detenido más. Pero no querían abrumar al abuelo para que me cuidara por ellos ya.

Mientras estoy sentada aquí, mirando las olas creciendo con el viento, pienso en el abuelo y este miedo que siento por Meagan. Algo adentro mío me sigue diciendo que debo enfrentarlo.

No sé cómo, igualmente. No sé cómo podría hacerlo. La mujer está en la cárcel. Irá a un juicio en un tribunal en una pequeña ciudad lejos de Nueva York en la mañana.

Será transferida desde Nueva York esta noche. La trasladarán a la cárcel de la pequeña ciudad donde se hará el juicio. Se quedará hasta que den el veredicto.

El Detective Lang nos comentó algo el otro día que nos chocó a Zane y a mi. Nos dijo que Megan estaba mostrando signos de esquizofrenia. Dijo que el estado estaba en proceso de examinarla con un profesional.

Zane hizo que él pare de hablar del asunto, ya que notó lo nerviosa que me estaba poniendo. Pero más tarde, llamé a Lang, y obtuve más de la historia, por mi parte.

Ha estado hablando de Zane como una completa desquiciada. Sobre cómo él es su esposo y la vendrá a buscar pronto. Ha estado fingiendo estar en un lugar de retiro en vez de la cárcel. Dice, que su maravilloso esposo, Zane, quería mimarla mientras ella esperaba los resultados de su candidatura como gobernadora.

Lo encontré profundamente perturbador. No le dije a Zane lo que me enteré. No hay razón para que él tenga ese tipo de mierda en su mente.

Con Zane en mi mente, me doy cuenta que él no ha estado por más de una hora. No toma tanto tiempo conseguir pizza y cerveza, así que tomo mi celular y lo llamo.

Me da directo al contestador y lo encuentro un poco extraño. Intento de nuevo, veo que pasa lo mismo y tiro el celular mientras

Rover baja las escaleras y comienza a ladrar mientras las luces titilan.

"¿Qué pasa chico? ¿Papi está por venir?"

Las luces se apagan y un rayo de luz ilumina el cuarto. El perro deja de ladrar y comienza a llorar. No puedo encontrar mi teléfono en la oscuridad y me pongo de rodillas y manos al piso para intentar encontrarlo, para no pisarlo y romper la única fuente de luz que tendré.

El cachorro está lamiendo mi rostro y llorando, ya que debe estar nervioso. Un sonido se mueve en el viento y juro que escucho la voz de una mujer llamando "Zane"

Me muevo más rápido para encontrar el celular pero no lo logro. "Busca mi celular, Rover. Ayuda a mami a encontrar su celular, chico."

Me deja y olfatea por todos lados, y en unos momentos su nariz húmeda toca mi mejilla. Siento algo en su boca. Es mi teléfono y no pierdo el tiempo en llamar al departamento de policía.

No tengo idea si es mi imaginación o no, pero arriesgaré el avergonzarme o estar equivocada mejor que no tener su ayuda si la necesito.

"911, ¿Cuál es su emergencia?"

"Necesito a alguien al 411 de Bay Road. Estoy en el faro al final. Creo que hay un intruso. Mi electricidad no funciona y veo desde el faro que el resto de las casas alrededor todavía tienen. Creo que alguien pudo haber tocado mi caja afuera."

"Enviaré a alguien de inmediato. Veo que la residencia pertenece a Zane y Elizabeth White, ¿es correcto?" pregunta.

"Sí. Soy Elizabeth White y mi esposo no contesta su celular. Me tiene preocupada. Creo que escucho a una mujer afuera, llamando su nombre. Por favor, dense prisa. Hay una mujer llamada Meagan Saunders, necesito saber si puede informarme di todavía sigue bajo custodia del Departamento de Policía de Nueva York o del Departamento de Policía de Amity. Estaba por ser transferida."

"Intentaré averiguar. Tengo al oficial Barron yendo hacia allá. Por favor, quédese en linea conmigo, Elizabeth. Más allá de este episodio, ¿Cómo fue su día?"

"¿Qué? ¿Me está tomando el pelo?"

El perro comienza a ladrar como loco y escucho que golpean la puerta. "¡Elizabeth!"

¡Es Zane!

"Mi esposo está aquí. Cortaré pero envíe al oficial. Gracias."

Corro bajando las escaleras hacia él. Él perro está a mis pies. Él llora ya que me tropiezo y debo sostenerme del pasamanos para no caer, "¿Rover?" llama Zane arriba en las escaleras.

Dejo que el perro corra primero para que no me mate. "Zane, se fue la electricidad"

"Lo sé. Voy a revisar el panel afuera. Sé que tenemos que tener una linterna por aquí, en algún lado."

"La cocina" digo. "Ven, acabo de llamar a la policía."

"¿Hiciste qué?" me pregunta cuando llego a él.

Miro al perro correr pasándolo y afuera de la puerta. "Zane, ¡Rover se escapó!"

Al mirar la alfombra de "bienvenidos" afuera de la puerta que Zane dejó abierta y por donde entra el viento frío, veo un par de pantalones naranjas con unas sandalias negras que se paran en ella. La pequeña cabeza de Rover aparece a la vuelta, tomando la pierna izquierda del pantalón, luego, Zane ya no está.

"¡No!" grito al cerrarse la puerta. Su mano estaba en el picaporte y cuando se lo llevaron, la cerró.

Mis manos están temblando mientras intento abrir la puerta. La confusión me consume ya que el picaporte no gira. No puedo abrirla mientras grito su nombre una y otra vez.

¡Ella lo tiene!

CAPÍTULO 36

ZANE

Mis ojos se vuelven borrosos al sentir el dolor en mi cuello. "Duerme, amor. Te tengo ahora." Escucho, luego estoy acostado en el piso y me encuentro mirando a Meagan.

No puedo moverme. Entonces ella me ha arrastado a los pastos más largos al lado más lejano de la casa. Mi perro está enérgicamente pegado a su pantalón pero no la está deteniendo.

Trabajo duro como puedo, me las arreglo para salirme. "Deténte."

Ella sacude su cabeza y se da vuelta rápidamente para mirar algo. Cae al suelo a mi lado y pone su mano en mi boca. No sé por qué Elizabeth no ha salido. Estaba aquí. ¿Qué pudo haberla detenido de venir por mi? ¡No puede estar tan asustada de esta mujer!

El sonido del camino de ripio me deja saber que hay alguien más aquí y recuerdo que Elizabeth dijo que llamó a la policía. ¡Bueno, gracias a Dios que lo hizo!

Lo siguiente que escucho es un sonido de golpe en la puerta. "Policía,señora. Nos llamó"

Luego, un grito ahogado y la voz de Elizabeth, "Tiene a mi esposo. Meagan Saunders tiene a mi esposo. Ayúdenme a encontrarlo. ¡Ayúdenme antes de que sea tarde!"

"Por favor, cálmese, señora. ¿Es usted Elizabeth White?" le pregunta el oficial.

"¡Sí! ¡Por favor! Tiene que estar aquí afuera. Ayúdenme a encontrarlo." Llora Elizabeth

"Entremos un segundo, señora. Está bastante histérica." Escucho que la puerta se cierra, y él debe haberla obligado a entrar de nuevo a la casa.

Meagan se levanta y me vuelve a arrastrar. El perro sigue en su pierna, sin darse por vencido. Puedo ver que el auto de policía tiene las luces encendidas. ¡El maldito idiota lo dejo encendido!

Ella va hacia él e intenta abrir la puerta trasera. Está cerrada, y me deja, haciendo que mi cabeza se golpee en el suelo. Ella desaparece y escucho un click. Aparece de nuevo, "Ha, lo tengo. Así que te casaste, veo. Eso no me importa. Yo te tengo ahora."

Abre la puerta pero tiene problemas para meterme dentro del auto. Soy demasiado pesado para ella. Se había olvidado del perro hasta que él vine a saltar en mi pecho, gruñiendo y mordisquiando sus manos mientras ella tira de mi chaqueta intentando arrastrar mi flojo cuerpo al auto.

Un golpe duro tiene a Rover llorando de dolor. Furia es todo lo que siento y me las arreglo para levantar mi cabeza mientras ella se inclina hacia mi para llevarme. Le doy un cabezaso y ella grita de dolor.

Veo sangre corriendo por su frente donde la heri. Mi cabeza cae hacia atrás en el asiento y ella corre al otro lado. Intento moverme pero creo que usé lo último que tenía de energia.

La puerta detrás de mi se abre y fácilmente me empuja el resto del camino al asiento trasero. Mi corazón se detiene al momento que ella cierra la puerta y corre para cerrar la otra.

Cierro mis ojos y silenciosamente pido ayuda. ¡Por favor, alguien, ayúdenme!

CAPÍTULO 37

ELIZABETH

"NECESITAMOS REVISAR AFUERA. NO ESTÁ AQUÍ." LE DIGO AL policía incompetente que me mandaron.

Usa su linterna para mirar. "¿Segura?"

"Puta. La vi llevándoselo. ¡Vamos!" no puedo esperar por este tonto más tiempo y corro a la puerta para abrirla. Las luces del auto que dejo encendido me cegan peor un momento y pongo mi mano para descansar mis ojos.

"Mierda" escucho que dice el policía que aparece detrás de mi.

Luego veo por qué lo dice y una figura se mueve en frente de las luces, aproximándose al lado del conductor. Rover está a sus pies y comienzo a correr.

Con un sonido, corro mis pies descalzos por el ripio que llena el camino y llego a ella antes de que cierre la puerta. La alcanzo, tomo su cabello y estiro lo más que puedo.

Sus gritos me llenan de más adrenalina mientras estiro, y tomo su brazo con mi otra mano, intentando sacar su culo del auto.

Ella se aferra al volante con ambas manos, luego tomo el movimiento de su mano derecha. Está tratando de alcanzar la palanca de cambios y poner el auto en marcha. Si lo hace, me arrastrará.

Siento las manos del policía en mi cintura. Me tira hacia atrás mientras grita. "Déjala. Yo la atraparé."

"¡Ni mierda! No la dejaré ir" grito y encuentro fuerza en mis reservas, arreglándomelas para inclinarme y llegar a las llaves.

Quitando una mano de su cabello, giro las llaves y las tiro afuera, en el piso.

Ahora que se da cuenta que no puede ir a ningún lugar, se gira a pelear. Rodamos fuera del auto en una bola de puñetazos y furia, donde yo termino sobre ella. El policía toma ambas de sus manos y la esposa sobre su cabeza. "¡A la Mierda!" grita.

Me salgo de encima de ella, finalmente. Me tambaleo al auto y abro la puerta para ver a mi esposo acostado en el asiento. "¿Zane?"

Casi no mueve su cabeza y me subo a sostenerlo mientras escucho una sirena de ambulancia a la distancia. El policía lanza a Meagan al capó del auto y la miro para ver como posa sus ojos en mi. " ¡No debería ser tuyo! ¡Se supone sería mio! ¡Es mi esposo, puta!"

Miro al oficial y digo, "Va a necesitar que la lleven a otro lugar más que a una celda en la cárcel. Hay algo que no está bien en ella. Llame al Departamento de Policía de Nueva York, ella es una prisionera que se escapó. Meagan Saunders es su nombre."

Acaricio el cabello de Zane, escucho el viento, las sirenas, y en todo eso, siento que encontré la paz.

CAPÍTULO 38

ZANE

UN AÑO DESPUÉS Y CON UN BEBÉ EN CAMINO, TENGO A ELIZABETH sentada en mi regazo mientras miramos el amanecer en las ventanas del faro. "Ya está Zane. Ya terminó. No más amenazas."

El juez ya dio el veredicto de Meagan Saunders. Ella nunca será liberada de la institución donde la metieron después del intento de secuestro. Fue diagnosticada como clínicamente desquiciada y su familia firmó los papeles para mantenerla encerrada y bajo control constante usando terapia de drogas.

Por lo que vi en el video que el Detective Lang nos mostró, no se mueve, está casi como un vegetal, y no amenaza a nadie. Nuestros días de preocuparnos acabaron.

Muevo mi mano por el vientre de mi esposa y sonrío. "Estoy tan feliz de que hayas venido a Nueva York para pelear por este faro."

Pasa su mano por mi cabello. "Tu y yo, juntos"

"El pequeño Benji va a enamorarse de aquí" le digo.

"Su nombre no es Benji. Ya te lo dije un millón de veces .

"Búsquemos algo en el medio, amor" digo y la levanto para

llevarla abajo a nuestro dormitorio. "Benjamin Kyle. Tu tienes el tuyo y yo el mio."

"Lo vas a llamar Benjamin ¿no?" pregunta frunciendo el ceño.

"Lo voy a llamar Benji y tu lo llamarás Kyle" la beso y ese es mi último movimiento para hacerle ver las cosas a mi manera.

Sus labios se separan, invitándome. Nuestras lenguas bailan y luego me suelta y dice. "Te amo, Zane."

Y no creo que jamás me canse de oirla decírmelo.

¡Jamás!

Fin

Creado con Vellum

CPSIA information can be obtained
at www.ICGtesting.com
Printed in the USA
BVHW061246050721
611165BV00002B/343